国家出版基金项目
NATIONAL PUBLICATION FOUNDATION

《三联经典文库》

第二辑

2012 年国家出版基金项目

三联经典文库

165

新财政学大纲

千家驹　著

生活·讀書·新知 三联书店

图书在版编目(CIP)数据

新财政学大纲 / 千家驹著. -- 北京：生活·读书·新知三联书店, 2014.1
（三联经典文库第二辑）
ISBN 978-7-108-04677-2

Ⅰ.①新… Ⅱ.①千… Ⅲ.①财政学－研究 Ⅳ.①F810

中国版本图书馆CIP数据核字(2013)第252964号

165 新财政学大纲

责任编辑 龚黔兰
封扉设计 蔡立国
责任印制 郝德华
出版发行 生活·讀書·新知 三联书店
（北京市东城区美术馆东街22号）
邮　　编 100010
经　　销 新华书店
印　　刷 北京鹏润伟业印刷有限公司
版　　次 2014年1月北京第1版 2014年1月北京第1次印刷
开　　本 787毫米×1092毫米 1/32 印张 11.75
字　　数 165千字
定　　价 43.00元

《三联经典文库》出版缘起

适逢生活·读书·新知三联书店八十华诞，为弘扬传统，接续文脉，回报读者，服务社会，我们决定策划出版《三联经典文库》。

1932年7月，生活书店在上海创办，此后，读书出版社和新知书店相继成立。本文库第一辑、第二辑所选图书，来自于这三家出版单位及其分支机构，以及1948年生活·读书·新知三联书店成立后的出版物，始于1932年，截至1951年，两辑各一百种。此为第二辑，涉及政治、经济、社会、军事、思想文化诸领域，涵盖专著、文集、散文、小说、诗歌、传记、报道等体裁，既有直面现实、追求真理、讴歌真善美、抨击假恶丑的原创作品，又有引介世界各国先进文化、传播新知、开启民智的迻译之作，真实记录了那一代知识分子的思考与探索、理想与愿景和对中华民族文化传承与创新所做出的努力与贡献。

本文库所辑入各书，多为名家名作，在版本方面，以初版一印本或经著译编者审定、修订、增订过的版本为首选，因此本文库又具有较为珍贵的版本价值和收藏价值。

本文库还将编选续辑，使之成为恢弘文化工程。诚挚希望读者给予批评和指正，帮助我们完善编选工作，再现三联经典作品之风采。殊为遗憾的是，由于年代久远，一些原著译编者及其后人未能取得联系并奉付稿酬，诚盼版权所有者与我们联系。祈愿三联前辈所创造的精神财富能薪火相传，为中华文化的伟大复兴增光添彩。

《三联经典文库》编辑委员会

2013 年 8 月

凡　例

一、本文库为重排本，由繁体字竖排版改为简体字横排版。

一、以忠实于原作、整旧如旧为编辑原则，对当时使用的专有名词、外文译名，以及民国时期的语言和特色予以保留。

一、原书注释如旧，编者所出的注释，均以“编者注”标明，以示与原书注释的区别。

一、对原书残缺或字迹漫漶之处，以□示代。

一、对繁简文本转换时的“如右”、“见左”一类，对应改为“如上（前）”、“见下（后）”。

一、对原书中各种错讹脱衍之处，直接订正，不再以其他符号标示。

一、对数字、标点符号的用法，在不损害原文语义的情况下，做必要的规范。

一、本文库各书均前插原书书影、原书版权页和文库版“本书出版说明”。

一、本书出版说明的撰写，以客观中立为原则，扼要介绍本书的内容、版本流转、著译编者的情况。

本书出版说明

本书由绪论、公共支出论、公共收入论和租税总论四部分组成，系统梳理了古今中外的财政学发展史，以马克思主义立场和观点从公共支出、公共收入和租税三大方面对西方资产阶级财政学原理进行了批判。作者试图通过为当时中国各大学开设的财政学课程提供讲稿，进而使更多的读者了解1948年以前的中国财政状况，目的是揭露和批判国民党政府的反动统治。诚如作者在出版“再记”所言，“正如马寅初先生说他那部《财政学与财政问题》的大著本来的目的是要打击宋子文、孔祥熙的”，然而时局发展之快，完全超出了人们的想象，当本书于1948年年底尚在东北排印时，“仅仅几个月之内平津解放，京沪光复”，于是“到出版后竟变成了打死老虎”。除去当年政治斗争的色彩，本书对于普及财政学基本常识、了解和认识国民党政府统治下的中国财政状况，在今日看来仍不失为重要的参考著作之一。

本书由生活·读书·新知三联书店初版于1949年10月，同年12月再版，此次出版，即以此为底本。

千家驹（1909-2002），浙江武义人。1932年毕业于北京大学经济系。曾任北京大学经济系讲师，《中国农村》、《经济通讯》主编。1936年参加全国各界救国联合会。1945年加入中国民主同盟。1949年后，历任中国人民银行总行顾问，国家工商局副局长，清华大学、交通大学教授，民盟中央副主席，中国科学院哲学社会科学部委员，全国政协常委等职。1989年后留居美国，后回国，定居深圳。著作有《中国的内债》、《新财政学大纲》、《中国货币发展简史》、《中国农村经济论文集》、《广西经济概况》、《我国社会主义经济研究中的若干问题》等。

生活·读书·新知三联书店

2013年8月

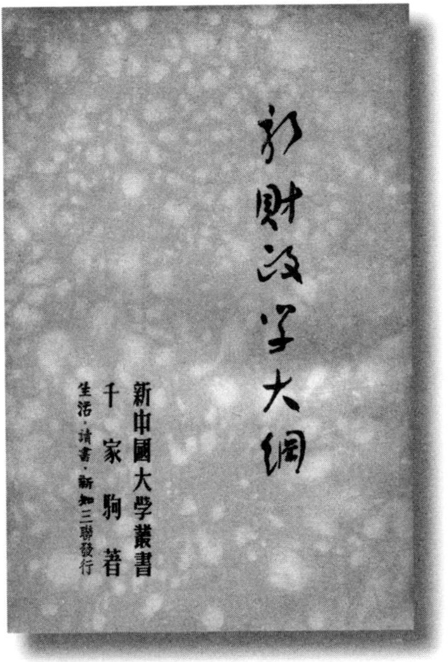

1949 年 10 月初版书影

新中國大學叢書

新財政學大綱

著者　千家駒

發行者　生活·讀書·新知三聯書店

北京　天津　瀋陽　大連
哈爾濱　濟南　開封　西安
上海　廣州　香港　長沙

基本定價　十三元　外埠酌加郵運費

出版期　一九四九年十月初版（京）
一九四九年十二月再版（滬）

印刷者　新華印刷廠第三廠
上海福州路五一九號

原书版权页

目次

序言

多少年来，我存着一个心愿，想用新的社会科学的观点，即马克思主义的观点，来重新写一本“新财政学大纲”，解释财政理论并分析财政问题。无奈我个人的学识太浅陋了，我过去所读的都是些资产阶级财政学的书，新的从马克思主义立场来阐明财政原理的，在英美书籍中百不一见。财政学在中国本是一门输入的科学，它还停滞在编译的阶段，英美出版界如此，在中文著作中自然更不会有新的财政理论了。只有在战前日本人的著述中，倒有一二本是观点比较进步的，然而也没有一贯的理论体系。何以在马克思主义经济学体系已经建立了八十多年，而新的财政学理论还未树立呢？这原因其实是十分简单的，因为财政学本来就是一门资产阶级的科学，它是资本主义国家的产物。在十八世纪资产阶级尚未取得政权以前，明君贤相，理财致用的片段理论是有的，但没有把财政学建立为一门独立的科学。在社会主义的苏联，国家财政变成了国家计划经济的一部分，它的本质已与资本主义国家的财政不同。因此当为统治阶级工具，站在个人主义立场，研究所谓“怎样取之于民而不扰民”之原则的财政理论，自无发扬的必要。我们可以说：财政学是一门产生于资本主义国家的科学，在资产阶级取得政权以前，无所谓财政学，在资本主义消灭之后，也无所谓财政学（即令有的话，它也已经变成为计划经济中之一环，变成与工商管理相类似的技术科学）。因此，马克思主义者对于资产阶级的财政理论之批判的启示是有的，而把旧财政学重新改写的却没有。现代西洋的资产阶级的财政学，包括了两部分，一部分是偏重理论的（财政原则论），一部分是偏重技术的（如预决算、公债、收入、支出等），理论一部分是完完全全为统治阶级的所谓“国家”服务的，我们应该批判地加以暴露，至于技术的一部分本可以合并于国家经济之内去研究。虽然如此，在过渡阶段，财政学却依然是一门重要的科学，资产阶级的财政原理（除去其技术部分的讨论）是十分肤浅与可笑的，我们有根本加以批判之必要。所以我想写一本《新财政学大纲》，并不是想建立什么新的财政学理论的体系，那种想法未免过于虚妄了，我的目的不过是要写一本适合于中国各大学教授之用的财政学，把资产阶级的财政理论加以批判，并说明资本主义国家、殖民地、半殖民地及社会主义国家的种种财政类型之不同。但苦于没有一种蓝本做根据，简直不知道应该怎样着手好。因此只有凭着我自己对于马克思经济理论一知半解的认识，尝试着对于资产阶级财政学原理加以批判，而编写的方式还是循着旧财政学的一套，即支出论、收入论、收支适合论、财务行政论，这种四分式本不是怎样合理的，但是我还没有魄力把它改正过来。

我怀着这一动机想重写财政学，是在抗战以前，但一直没有动笔。到了民国三十一年，时值太平洋战起，日寇占领香港，我从香港逃回了桂林，承“小袁世凯”的“关怀”，预先关照了地方当局，不许我教书（不只对我一个，对所有从香港逃回来的民主文化人士），也不让我做任何文字工作，即对我的生活完全加以封锁，目的是要逼我去重庆这个大集中营软禁起来。我一方面坚决地拒绝去重庆，另方面承几位好友的怂恿，把这部财政学大纲写出来，但因战时参考书籍的缺乏，又无同类的著述可做蓝本，许多理论全凭暗中摸索，当时计划写三四十万字，预备两年之内完成，花了将近十个月的工夫写好了约近十七八万字，因为这书是准备战时出版的，那时国民党反动政府的原稿审查之荒谬与苛刻，是为我们所周知的，特别是对于我们这批文化人。为了避免精力的浪费，书店朋友把我已经写好的一部分作为上册，先送去审查，他们还特地为此请审查老爷们吃一顿丰富的酒饭，疏通一番，希望不至故意留难。原稿呈上去后，过了三个多月退回来了，审查老爷批示如下："该稿因内容复杂，经呈送中央复审在案，兹奉中审会本年二月中审发第〇五七〇号指令内略开核以该书内容，颇多不妥，凡以阶级观点、阶级利益，解释国家财政政策及公共经费之社会意义各节，应饬由原作者妥加修改等因，兹查该书应删改者计有第一、二、四……各页（及其类似之点亦应由作者自行删改），今将原稿发还，仰即遵照修正，再行送审以凭核办，仰即遵照为要。"我一看审查老爷涂改之处，约数十百处，真是疮痍满目，令人啼笑皆非，但原稿没有被扣留，终算万幸。但审查老爷要我修正后再“遵令”送审，我可真没有这种勇气了。因此下半部稿便没有继续写下去，任令上半部稿放在箱子里喂老鼠。后来不久，重庆中国文化服务社（C.C. 所办，与正中书局同为反动之出版机构），刘百闵向我索稿，刘君曾一度奉“小袁世凯”之命，来桂林劝我们去重庆，因此我们相识，刘亦 C.C. 喽啰，但对文化界人士尚无恶感。为了想以稿易米，故我将本书中抄出一部分，把“有碍的”词句（如“阶级”、“工农大众”等等）删去后寄出，希望可以卖点稿费，哪知过了两个月，这曾经删去一部分的稿子又给退回来了，附有刘百闵很客气、很委婉的一封信，说以环境关系不便出版。事后我才知道我这部稿寄给刘君后，刘君竟交给托匪特务郑学稼去审查，一个特务居然可以审查我的著作，真是笑话！终算幸运，也可说是当然，郑君没有把我的原稿通过，这样使拙稿得免于在 C.C. 出版机关出版，真可说是塞翁失马，焉知非福了！

三十六年到了香港，这离开了我撰稿时已经五年，生活书店要求我把这部稿整理后当为“新中国大学丛书”之一，我答应了以后，即着手重写。这里要特别感谢好友徐坚先生的帮忙，在整理时，参加了很多宝贵的意见，并帮同修饰文字。但以生活逼人、杂务丛集，时作时辍。本答应三十六年底交卷，到后来一拖拖到三十七年七月才交去了一部分，三十七年底再交去一部分，这才把上半部勉强完成了。即到目前为止，还仅完成了第一卷。其中有许多材料，在执笔时为最新的，到后来已变成了明日黄花。特别是当时为了使本书读者更能了解中国当前的财政情形，故其中引证国民党反动政府的财政统计及资料处也特多，例如关于财政收支系统的详尽介绍，目的是要针对国民党之个人独裁制度而加以批判。到了今天一看，有些资料已经过了时，有些变成了无的放矢，倒反而觉得不合时宜了！现在我把其中有些失了时效的资料删了去，但对于仍有历史价值的资料则仍旧保留着。但在资料之引用上，时间之不一致性是无法避免的，这只有请求读者之原谅了！

这本著作只能作为笔者抛砖引玉的一个尝试，笔者自知其中的错误与缺点是太多了，甚至有许多地方还受资产阶级财政学的遗毒，我竭诚地希望读者的批判与指教，并且更十二分期待国内先进之更成熟更正确的财政学巨著的出现。

千家驹　一九四八年十二月于香港

再　记

这部稿子撰写的经过，业已如前所述。当我最后把这部稿子交给书店时，那还是去年年底，这时平津尚未解放，书店和著者的计划还是打算把这书印出后在蒋管区发行的，因此，在措辞上不得不力求保守隐晦，在取材上大体上仍以国民党统治区资料为主。想不到局面的发展，远超过我们一切的估计，当书店把拙稿送到东北排印时，仅仅几个月之内平津解放，京沪光复。过去文字上的顾虑固然不复存在，而因国民党中国迅将变成历史上的名词，本书之取材及例证之以国民党政府为对象者亦失去其现实的意义，正如马寅初先生说他那部《财政学与财政问题》的大著本来的目的是要打击宋子文、孔祥熙的，到出版后竟变成了打死老虎。本书的性质与马老一书固然不同，但不无同感。虽本书以理论之探讨为主，旁及事实，仅供例证之用，但由于客观环境这种变化，所以本书在付印前，又由著者再校正了一遍，对文字上稍加修改，并删去小部分已失去现实意义的对国民党反动政府的财政批判。但令我始终怏怏于怀的是本书写作于国民党反动统治气焰方盛的时代，尽管著者主观上是想严格地站在马列主义的观点来分析并解剖财政问题，但在那种低气压的空气之下，下笔时终有种种的顾忌，起初是顾虑国民党图书审查老爷们通不过（结果还是通不过），到后来又恐怕印出来发售时被国民党反动政府所禁止，因此种种精神上的无形压迫，使我这本书就像“放大脚”一样，不是真正的天足。在基本理论上我是完全遵循马列主义的国家观而写的，但当讨论具体事实时，也许要受了些资产阶级财政学的遗毒，在编制与文字上更不能完全摆脱旧财政学的窠臼。但要加以改写是不可能的了，因此我只能先把这个初稿印了出来，作为有志于研究财政学的朋友们一个参考。真正的、成熟的马列主义的新财政学，有待于新中国的马列主义财政学者。本书著者，不过是作为一个“披榛觅路”的小卒罢了！

一九四九年六月三十日再记

第一编　绪论

第一章　财政学的研究对象

第一节　财政学的研究范围

财政学是政治经济学的一个支流。政治经济学研究的对象是社会物质生产诸关系；财政学研究的对象，是社会物质生产诸关系中的特定部分。在这特定部分上，它们采取着国家的形式，表现为国家的经济——财政。[1]

社会一经分裂成为阶级，国家便成为不可避免的产物，垄断着生产手段剥削直接生产者剩余劳动生产物的阶级，为保持自己对生产手段的独占，保持并扩大对直

[1] 马克思在《政治经济学批判》导言中，计划着他当时的研究程序，其中"……第三：采取国家形式的资本主义社会组织，从对它本身的关系上加以考察；'不生产'阶级；赋税；公债；公信用；人口；殖民地；移民。"

接生产者的剥削，为镇压被剥削者的抵抗，必然组织起权力机关，来维持有利于自己的“秩序”。这个权力机关便是国家，恩格斯说：

这样看来，可见国家本身决不是由外部强加于社会的一种力量。国家也不是什么“道德观念的现实”的“理性的形象与现实”，如黑格尔所主张者。国家乃是社会在一定发展阶段上的生产物，国家乃是这种社会已经陷于自身的不能和解的矛盾中而分裂为它无力挣脱的不可调和的对立之表白。为了要使此等对立，此等经济利益相互矛盾的各阶级不要在无益的斗争中同归于尽及灭绝社会，于是在外观上似乎立于社会以上的力量，似乎可以缓和冲突及纳之于“秩序”限度以内的力量，便成为必要的了。这个从社会中发生，而又高居于社会以上，且距社会越弄越远的力量，便是国家。(《家族、国家及私有财产的起源》)

国家既是阶级矛盾不可调和而产生的权力机关，它必然是一阶级支配、镇压和统治别的阶级的机关，恩格斯说：

> 国家既是由于抑压阶级对立的需要而发生的，同时，它既是在此等阶级的对立中发生的，所以，通例它是最强有力的在经济上居于支配地位的阶级的国家，该阶级在国家帮助之下，在政治上也成为支配阶级，因之便获得了抑压并榨取被压迫阶级的新手段。比如古代的国家，主要是奴隶所有者用以压制奴隶的国家，封建国家，是贵族用以压制农奴的机关，而近代的代议制国家，则是资本家榨取雇佣劳动的工具。

为着这个目的，国家组织，成为一个公共的权力，它包括大批军队、警察、宪兵、法庭、监狱、特务、集中营等暴力机构，也包括着为统治阶级处理所谓“民政”事务和进行欺骗迷醉工作的宣传教育机构，整个的官僚系统。

在资产阶级的财政学者来看，国家是超阶级而代表全社会福利的机关，他们用“公共职务”的名词，掩蔽了国家职务的阶级性。他们以为国家所经营的“公共职务”是人民共同的要求，由于在性质上不便于个人单独解决，才由国家集中解决，因而他们把国家看成简单的治事机关，而不看成人统治人的权力机关。他们往往列举着表面上合于社会普遍要求的事业来证明这一点，例如对外国侵略的防御，公用事业、社会救济事业之类。但是剥削阶级的国家，在它对外防御时，也是为着保持自己的剥削地盘，所谓防御，更常常作为对外侵略的借口，来扩大本阶级榨取的范围，国际战争的结果，胜利通常落在支配者阶级的手里。现代国家举办公用事业，或出于赢利的目的，或者国家以集中的资产阶级的身份，使某些事业的发展更适合于本阶级一般的利益。社会救济事业是用来和缓阶级矛盾的，并且多半是被剥削阶级斗争的结果。

只有在人民的革命胜利以后，生产大众把自己组织成为新的国家，来镇压旧剥削阶级的反抗，来抵御外敌的干涉，来巩固胜利的成果和建设新的生产和文化，只有这样的国家所尽的职务，才可称作真正的“公共职务”，因为它代表着人民最大多数的利益；只有这样的国家才充分地发挥着治事的效能，由多数人民本身直接处理国事，代替了少数特权者的权力制度，因而原来意义上的国家——为统治人而组织的“特别力量”的国家，开始消灭了。“根据生产者自由平等的结合，用新方法来组织生产事业的社会，将把国家的全部机器放在它正得其所的地方——古物博物馆里，而与纺车青铜斧并列。”（恩格斯语）

所以人民革命胜利以后的国家，是一种新型的国家，和奴隶制、封建制、资本主义制下的国家本质上不相同；它虽然仍旧是阶级社会的产物，但在其阶级内容上，刚刚和以前的国家相反。以前的国家是剥削者，不劳而获者的工具，新型的国家是被剥削者直接生产者的国家。以前的国家在巩固和发展剥削制度，其由一种形式到另一种形式的转变，不过是把统治权力由一个剥削阶级手上转移到另一个剥削阶级手上，而新型的国家在通过一定的阶段，完全肃清剥削制度，因而消灭阶级，以及作为阶级统治工具的国家本身。

对于国家的这种认识，在财政现象的研究上，有根本重要的意义。资产阶级学者，由于把资本主义制度看作最合于理性的王国，把资产阶级的利益看作代表全社会的利益，他们便不能科学地把握到财政现象的实质，使财政学变成“科学上还不能充分证明的以先天观念为前提的支配的技术知识底集积”（大内兵卫语）。新财政学的建立，必须立足于阶级的国家观上，根据各阶段经济政治的特征，说明各种财政现象的意义及其变动的规律。

财政是国家的经济，即为着维持这统治工具的存在和发挥这统治工具的职务而必须有的经济。为构成这高踞于社会之上的统治工具，必须由社会征取人力物力，并将这人力物力适当地应用在阶级的目的上。当生产力低微的阶段，剩余劳动和剩余生产物还很有限，不足以维持不劳而获的阶级，这时虽然有社会的公共职务，也有了执行这种职务的人，但还没有国家，所以并不发生财政问题。社会上的剩余劳动力和剩余生产物，虽然一部分或全部分作公共的使用，但还不成其为财政。劳力和生产物的公共使用，与其说是特殊的情况，毋宁说是通例，并且这种使用，直接切合于人民全体的利益。只有在阶级社会发生以后，直接生产者的剩余劳动力和剩余生产物，才成为剥削阶级私人占夺的对象。这时，作为集体的统治阶级的国家，以何种方式何种程度征取剩余劳动力和剩余生产物，以用于阶级的目的，才成为特殊的问题。这方式和程度，当然决定于提供这人力、物力的社会经济的性质，但其全部负担，归根结底是出于直接生产者的劳动大众，则是一样的。“羊毛出在羊身上”，是确切不移的譬喻。

我们从国家取得财政收入的形式上，可以清楚地看出财政和当时社会经济性质的关系，在种族奴隶制度之下，统治者民族以国家的形式，征取被统治者全部剩余劳动，国家不仅是维持剥削制度的工具，本身就是直接进行榨取的剥削机构。当西班牙人初侵入秘鲁时，当时的土著所建立的印加帝国，是印加族对维鸠亚族的统治机构，维鸠亚族的土地，划分一部分为“印加田”和“太阳田”以供奉统治者及祭司，这田上的耕作全部由维鸠亚族负担，此外，维鸠亚族还负担矿山、筑路、建桥等公共工程。中国西周的《诗》中，有“噫嘻成王，既昭假尔，率时农夫，播厥百谷，骏发尔私，终三十里，亦服尔耕，十千维耦。”[1]明明表现着在周成王时，农业生产的督率是王者躬亲的要政之一；土地是国家所有，作着大规模的耕作，耕田者的农夫是有王家官吏督率着的。(郭沫若著:《青铜时代》第八五页。)《诗》云:“雨我公田，遂及我私”，表示周初有公田私田的划分，公田的收入，便是力役形式的财政收入。这里，国家是最高的地主，主权就是全国累积的土地所有权，而地租和课税是并在一起的。

力役为主的财政收入形式，虽早成过去时代的事，但力役却一直残留下来。如唐代租庸调制，庸即力役:“用人之力，岁二十日，闰加五日”。宋代王安石变法时所用的免役法，就是想用纳钱的办法代替当时十分苛扰的杂役（守官库、运输官物、催收赋税、捕盗贼、供官府杂差），但没有行得通。明代差役，分男子为成丁、

[1] “啊啊！我们的主子周成王既已经召集了你们来，要你们率领着这些耕田的人去播种百谷。赶快把你们的耕具拿出来，在整个三十里的区域，大大地从事耕作吧，要配足一万对才好。”（郭沫若译）

未成丁二种，服官役，六十以外免役。名目繁杂，凭官府任意增添，不可计数。直至国民党反动统治时代，战时的强迫征工服役，派丁征夫，还是农民所视为最苦的负担。

实物租税的代替力役成为主要财政收入形式，大致和劳动地租的转化为实物地租相当。它是货币经济未普遍发达以前的形式。我国直到清末，田赋中还有一部分是以实物缴纳的，就是“漕粮”。“漕粮”就是征纳白米交水运输送入京师的意思。咸丰同治年后，各省都改征银两，但光绪末年，江苏、浙江还规定每年纳米六十万石和四十万石。完全废除征粮，是民国初年的事，抗战期间，国民党反动政府于民国三十年起，因法币价值的跌落，又恢复田赋征实，直到胜利后亦未取消，成为反动政府内战财政上重要收入项目。在古代，实物租税还不止谷米，例如唐代租庸调制下，租是纳粟，庸是力役，调是纳绢、绫絁（紬）、绵、布、麻。

直到商品经济充分发达以后，货币乃取一切力役与实物租税地位而代之。在资本主义社会，货币变成国家经费的唯一独占形态。现代国家不必再向人民征发人力或实物（除在战争时期外），只要向人民征取货币，再以货币去购买它所需要的一切就行了。因为货币在今天已经变成了世界的价值形态，它是一切商品价值的代表者，具有普遍的购买力，今天的国家财政问题，变成单纯的“钱”的问题。钱的如何取得，如何开支，如何保管，以供应国家这个统治机构的用途，就变成财政学所要研究的主要问题。

当财政收入采取力役和实物形式时，其出自直接生产大众是一目了然的。封建时代的地主，往往根据其身份的特权或地方上事实上具有的政治地位，公然免除了租税负担。非但如此，封建国家所依赖以征收租税的人，或者直接是当地地主，或者是与地主有密切关系的人，他们非但自己免除了租税，且从征收租税中敲诈中饱。财政负担的归属，并无隐蔽。历史上固然也有因为天灾兵灾农产歉收当地绅士请求政府蠲免租课等情形，但多半是出于地主自己的打算，或者为缓和当地阶级矛盾，或者为自己多留供自己剥削的资源。但财政收入采取了货币形式以后，尤其在资本主义之下，征收的对象既然是一定的货币额，表面上就装出一种普遍公平的姿态，似乎是力求按照富力的高下来分配国家“共同”的负担的样子。固不论国家本身已是剥削者的工具，由生产大众来负担国家的费用，根本上已无公平可言；即连表面上的公平，也大部分是虚伪的，资产者有种种地位，可以将最初加在自己荷包上的租税，散转于消费者大众，结果还是由直接生产者承担。租税的负担，对于工人，变成工资的扣除，对于独立手工业者和农民，变成所得的剥削。若干租税的所以先由资本家承担，然后转嫁，资本家之所以不像过去地主一样超然于法理上或事实上的租税负担以外，是因为资本家在生产上已握着全部剩余劳动，直接组织着生产，他虽不是生产者，但表面上却唯有他是生产的代表者，一切劳动生产物，全部价值，都要先经过他的手，而后再作分配的缘故。

在财政支出上，更清楚地表现出国家财政是为什么人服务的。“取之于民，用之于民！”理财家一定板起面孔这样说。但这正是鬼话。只有在人民政权之下，取之于民用之于民才真实的。所有剥削阶级统治的国家，都是取之于奴隶，用之于主人。统治阶级在财政支出问题上或许也会争论，这不过反映着统治集团内部不同的利害，争执着支出的效果，或者想限制“用之于官”的滥费罢了。举例来说，保障私有财产权是资本主义国家的神圣义务，为此国家耗费了无数经费，它的军队和警察都为此而用的；但是这是指资本家的私有财产权而说的，其他形式的私有财产权，则国家权力，正是用来帮助资产阶级扫除的东西。试读《资本论》“所谓原始蓄积”的一章，“夺取寺产，欺诈让渡国有地，掠夺封建所有地，氏族所有地，把它在无所顾忌的恐怖主义下，转化为近代私有财产，这种种，都是原始蓄积的牧歌方法”。保障秩序是资本主义国家的责任，但并不妨害资产阶级制造战争空气推动全国人民进行流血的侵略战争；亦不妨害它投机取巧垄断居奇等“自由的”经济行为。资本主义国家设立了大套有利于资产阶级的法律，花了无数经费来执行这些法律，口口声声说人民在法律之前一律平等，但在法庭上坐的是资产阶级的陪审官，人民所可以请来帮助解决诉讼困难的是以酬报高低为标准的律师，资产阶级在法律所给的特殊保障以外还得着特殊的金钱保障。因了无产阶级的觉醒与斗争，资产阶级国家虽也有保障劳工权利的立法，这些立法都是无产阶级经无数艰辛斗争所获得的结果，事实上，它们要不是有名无实，便是在执行时偷天换日[1]。资本主义国家是要为全民福利使生产现代化科学化的，但没有一个资本主义国家能肃清封建土地所有权的残余；能使城市不剥削农业，能使工业的发展不牺牲农业。资本主义国家说要提高生活水准文化水准，但它并没有想解决经济恐慌和大量的失业和贫困，并没有造出普遍受教育的机会，却相反地把恐慌的重担转嫁到劳动人民身上，把教育作欺骗麻醉的工具。这就是资本主义国家运用着由劳动人民抽去的血汗钱所做的事，就是它所谓“用之于民”的具体表现。

所以新财政学决不能脱离阶级内容来看财政，正因为国家是具有一定阶级内容的国家，是某阶级或某些阶级统治被统治者的机构，所以国家的财政，也是这统治机构如何取得物质资源以及如何运用这些资源的事情；它是集中在国家的形式上的统治阶级怎样为着自己的阶级目的征取、支出及管理各种经费的经济行为的总和。在国家与人民的财政关系上，在剥削者的国家，看到的

[1] 请读《资本论》卷一“关于标准劳动日的斗争”，中文，郭大力译本，二一五页。

是统治的剥削者的集体代理人对于被统治的劳动大众的经济关系，在已得到解放的劳动人民所组织的国家（如苏联及新民主主义国家），看到的是劳动阶级或几个革命阶级的联盟，为镇压剥削者发展生产力而适当征用物质资源分配到适当部门去的经济关系。在这样的理解之下，我们才能应用旧财政学上的术语，而把它们当做一种简略的说法。

现代一般财政学所处理的问题，不外四个方面：第一，便是国家怎样取得货币，这就是公共收入的问题（在资产阶级财政学书上亦称“公共收入论”或“收入论”）。第二，便是国家怎样在支出货币，即公共支出的问题（亦称“公共经费论”）。第三，便是关于收支适合的问题。国家必须量出为入，当收支不敷时，就发生了如何使收支适合的问题。各国在收支不敷时，多发行公债以为弥补，故在资产阶级财政学上亦称收支适合论为“公债论”。第四，是关于财务行政的问题。国家收支数目相当庞大，内容非常复杂，这笔经费如何管理？普通一个国家关于经费之收支均有预算，有决算，这整个叫预算制度，所以财务行政论亦称为“预算论”。以上四方面是现代财政学上所要研究的主要范围。总括起来说，国家怎样收入货币，支出货币，怎样使收支相适合，以及怎样管理收支，就构成现代财政学研究的骨干。

但是，上述四方面不能等量齐观。前两者是基本的，后两者是派生的。前两者是财政现象的实质，后两者是其枝节。

这种四分法的毛病，就是很难表现出不同的财政类型。财政关系与财政现象，是社会经济基础的上层建筑，它是被国家的社会经济基础所决定的，因为它在支配隶属关系上作为物质手段而出现，并且它直接是社会经济总关系中的一个特殊部分，所以它不得不为后者所决定。马克思说：

> 由直接生产者榨取无给剩余劳动的特殊经济形态，决定支配和隶从的关系。它是直接由生产发生，但会反过来，在生产上发生决定的作用。由生产关系发生的经济共同体的全体构造，以及它的特殊的政治姿容，就是建在这个基础上的。生产条件所有者与直接生产者的

关系——这种关系，依照当时的形态，自然会与一定的劳动方法的发展阶段与劳动社会生产力的发展阶段相照应——把全社会的构造，君臣关系的政治形态，简言之，当时的特殊国家形态最内部的秘密和隐藏着的基础，显示出来。(《资本论》第三卷，郭译本，六七六页)

阶级社会历史发展的全过程中，通过了几个本质上特殊的阶段，每阶段上根据于其特殊的生产关系，形成特殊的社会经济形态，特殊的经济类型和政治类型，因而也有适合于它的基本上特殊的财政类型。有怎样的社会经济组织，就有怎样的财政关系与财政现象。资本主义国家的财政关系不同于封建国家的财政关系，同样的，社会主义或新民主主义的财政制度亦不同于资本主义国家的。研究各时代不同经济发展阶段的财政现象与财政制度的事实发展，固然属于财政史的范畴。但财政的理论既然是历史的理论而不是什么根据于先天的原则凭空创造起来超越空间时间性的理论，那么财政理论也就要以理论的形式反映历史的发展着的现实，给财政类型以若干特征的规定，说明各类型发展的规律，和它们在当时经济发展中以及政治发展中的深深的根源。

正如资产阶级经济学者只看到资本主义经济制度是世界上最合理的制度，把资本主义经济的范畴看成超历史的范畴，他们看不到资本主义的过去和未来，看不到它的历史的过渡性，因而在经济的研究上，不能看到别种社会经济制度的合法则性和必然性，把经济的研究只限制于资本主义社会现象，而又把它普遍于“社会一般”；那么，资产阶级财政学者，就犯着同样的毛病，不能把握各个财政类型来作历史性的观察，只以资本主义国家理财经验的整理体系化为完事，尤其因为研究的出发点出于支配者阶级理财的实践要求，“生出理论与实践的混同，科学的认识被目的论所隐蔽了”（大内语）。所以在他们，那划分财政学的：一、收入论；二、支出论；三、收支适合论；四、财务行政论，这种四分法，已可满足，但这种四分法，在新财政学的观点来看，是完全不能满足的，从不同的财政类型按照这四部分抽出共同的规律来，或者只拿来作现象表面的并列对比，并没有完尽理论应尽的职务。

科学理论是为着理解现实，而科学理论之所以重要，因为它可以指导现实，改变现实。财政原来是阶级斗争的重要工具，财政学应该使我们理解财政斗争的一定的阶级意义，它促进或阻滞社会发展的作用，并且使我们正在艰苦斗争求取解放的人民，看破统治者运用这工具的技术，判断它的后果，吸收其中的经验，用新的财政理论武装自己，以便在翻身之后，懂得怎样运用自己的国家在财政上巩固并发展新的社会制度——总之，新财政学要从对于历史上财政现象的理论知识，得出如何建立我们就要实现的新民主主义国家的财政。

要创造出这样的理论武器，我们就不能限制于资产阶级财政学通用的四分法，我们必须分析财政类型。我们必须研究资本主义国家财政，研究社会主义国家苏联的财政，并且要研究因为没有能完成资产阶级革命任务，扫除封建势力与帝国主义束缚而解放了的新民主主义国家的财政。这样的研究，可以帮助我们去理解第二次世界大战后在东欧崛起的新民主主义国家的财政经验，以及在人民革命战争胜利后解放了的新中国在铲除帝国主义、封建主义、官僚资本主义势力后组织新政权时的财政经验。从这样的研究中，我们可以接近到新民主主义财政制度的理论建设。

所以我们要在支出、收入、收支适合、财务行政之外，再研究“财政类型论”。

然而问题还不止于此。

反法西斯的战争，固然已经胜利结束，然而世界和平还未得到最后的保证。由战争利润所爆发的美帝国主义，正想建立世界的霸权，依赖其“自以为强大的”武力，奴役世界的人民。它已经一天天走上法西斯化，勾结全世界的反动势力，扶植德、意、日反动势力的复兴，美帝国主义国家的独占资本正想发动战争，用战争来恢复其黄金美梦，要知道只要资本帝国主义存在一天，新的战争威胁便存在一天，而世界上一切反动力量也正是把前途和希望寄托在一次新的战争冒险上的。研究财政而忽略了这个因素，是不现实的。试看美帝国主义者不正是运用着所谓“马歇尔计划”作支持和培养全世界反动力量的主要工具吗？难道这不属于财政的范畴吗？资本主义国家内民主分子，不正是为反对新的战争准备，在财政问题上向反动统治者斗争吗？那么，走向战争的财政政策必然和巩固世界和平的财政政策，不是本质上有所不同吗？把资本主义国家的财政和战争隔开，许多现象就变成不可思议。为什么战争的创伤没有用全力去恢复，为什么国家资源——由人民血汗中榨取来的，不用于扩张和平生产改善人民生活，却浪费于新军备的扩充？不和战争联系着，资本主义国家的财政困难是不可能理解的。资本主义国家，不仅是资产阶级对内镇压统治的机构，并且亦是对外奴役殖民地和争夺统治地盘的工具，它的手段就是战争，资本主义国家的这种好战性，当然反映在国家财政上，我们在研究资本主义国家财政支出的特点时，应该指出来；但是仅仅这样指出来还是不够的。我们必须进一步研究到资产阶级国家用什么财政步骤准备战争，如何在战争中解决新的特殊的财政问题，战争财政对于资本主义国家的经济情况又发生什么影响；我们还要指出侵略战争的落后性反动性怎样表现在财政上；我们还要指出在资产阶级的统治下所谓战后的复员以及复兴之类，是靠怎样的财政手段来解决的？这些可使我们了解作为侵略手段的财政究竟是怎么一回事。

社会主义国家苏联是世界和平民主的堡垒。这个国家，已经消灭了剥削阶级，建成和发展着社会主义的和平建设，在国内已经没有作为权力机关从事镇压敌对阶级的任务，但是由于国际资本主义制造战争的威胁，苏联人民就不仅没有削弱国家机构，相反地却是加强了它，为着防御外国侵犯的必需，锻炼了伟大的红军和红海军，因为这是保卫社会主义建设所必需的，二次战争，证明了社会主义国家机构空前的伟大力量。然而为着保卫世界和平就需要支应保卫战争上一切必需的资源，这是为什么为和平民主支柱的苏联也有它自己的军事财政。但是同样的是军事财政，却由于国家经济基础的不同，阶级内容的不同，战争性质的不同，在它巨额战费的筹措上，在它复员与复兴工作的经费的支配上，都表现出资本主义国家所没有的特色。社会主义的优点充分地在战争财政上表现出来。对于这些特色的了解，可以帮助我们更深刻地了解这保卫世界和平的力量，亦可以加强我们对民主前途的信心。

因而，我在前面所列举的纲目以外，在财政学的研究上，还要讨论到“战时财政论”，这里面要说到战费筹措的各种立场和各种方法，战后所特有的种种财政课题以及处理这些课题时的各种立场和方法，诸如此类。

现在，把我们计划中的财政学研究的主要轮廓列出来，以便学者在开始时就对财政学的研究对象，有一个总的印象：

一切科学研究都是实践的反映，现在研究财政学，目的在使自己对呈现于目前的许多财政问题及财政现象，有批判分析的能力，我们再不能以一些抽象空洞的原理原则为满足。因此，我认为一本完备新财政学的编制，为了适应时代的要求，应分为八编：第一编，“绪论”，讨论财政学的一般概念及财政思潮史之发展。第二编，“支出论”，讨论公共支出的意义及其趋势。第三编，“收入论”，讨论公共收入中的一般问题及租税以外的公共收入。第四编，“租税总论”，讨论公共收入中特殊的租税问题。这一编所以从上一编分出，主要是因为在资本主义国家中，租税占公共收入的支配地位，这里面包含有许多复杂问题的缘故。第五编，“收支适合论”，主要地以公债为对象。第六编，“财务行政论”，讨论预算、决算的问题。第七编，“财政类型论”，把资本主义国家的财政、社会主义国家的财政、殖民地半殖民地及新民主主义国家四种不同的财政类型作比较的研究。第八编，“战时财政论”，讨论第二次世界大战爆发后世界各国财政，以及战后各国财政。最后，“新民主主义财政”应特别提出研究，因为我们正在走向新民主主义经济的建设中。

第二节　研究方法与研究立场

一切科学的研究方法，和这门科学所处理的对象的本质，对象的特征，和这门科学发展上所已达到的水准，和当前研究这门科学所需要解决的现实任务，是有密切的关系的；本质、特征、水准和任务，可说决定着在某一时期具体研究一门科学时所应用的方法。各种科学因为具有自己的现阶段的特点，因而也有它现阶段所特用的方法。

正因为这样，科学研究方法的本身，也有它发展的过程，随着对于对象了解的深度、理论水准发展的高度、相关科学的成熟与否、材料的丰富与贫乏，以及当时现实生活所提出的紧急理论问题的性质，在时间过程中，不断发生变化。

这一方面指明了每个时期的科学方法的发展性，即不要墨守成规去研究一门科学，另一方面指明了每个时期科学方法的限度性，即是说，不要以为用某种方法就可以解决研究上的一切问题，而只是帮助我们把理解推进一步，近似地、不完全地，来解决目前最迫切的问题。

基本上说，方法是对于客观对象研究所得的最概括的结论。先有对于客观对象的研究和研究的经验，才有进一步研究时作为引线的方法。因为我们所谈的方法是客观的方法，这方法先存在于客观现象的本身，表现为它的基本规律和定则，研究的方法，不得不适合于这基本规律和定则，着手观察和分析。

然而这并不是说，方法是消极的东西，正因为它最概括地综合了过去的认识和实践过程所得出的结论，它所以能帮助我们积极地推进我们的认识和实践。

对于财政现象的研究，在过去虽然做了很多，但是资产阶级的学者，由于缺乏对社会历史发展过程基本的理解，缺乏对资本主义内在规律和资本主义历史过渡性的理解，缺乏对于政治与经济的关系的理解，缺乏对国家的本质的理解，再加上其阶级利害的限制，所以不能在基本问题上，在理论的高度上作出任何成就。他们对一时期的个别问题或技术方面，可能有精密的解答，但一接触到本质问题时，就由于阶级利害关系表现为无知与无能了。

从客观的科学的观点上来处理财政现象的努力，过去是有的，马克思在《资本论》中，有很多处接触到财政，并且按其原来的研究计划，在分析了资本主义社会三大阶级的经济关系以后，原想把财政诸问题作为经济学的一分科，作为《资本论》的续编而展开。他在他的《政治经济学批判》序说第三节“经济学的方法”的末尾，曾举出应在第三部分论述的事项，是集中成为国家形态的资产阶级社会，在这中间考察“不生产阶级”、租税、国债、公信用……之类，他的死阻止了他的计划的完成。以后，从科学社会主义观点来分析财政问题的工作，只是零碎地接触到，还不见有系统的首尾一贯的包括全面的著作。只有在苏联，无产阶级掌握着国家政权，对于这个新型的国家的财政，曾有本质上的考察。所以就目前来说，新财政学还在创建的过程中。财政学上一般的理论水准还是很低的。这门科学的这个特点，使得我们没有成规可循，就是说，这门新科学的建立和建立这门科学的方法，是同时生长的，我们只有从批判旧方法旧观点中，才能把新方法新观点逐步建立起来。

然而，这并不是说，在着手创立新财政学的时候，我们没有任何方法论作根据。正因为财政现象一般的是社会现象的一部门，特殊的是经济现象中最直接政治化的一部门，那么关于历史的规律的知识，关于各社会形态的经济结构的知识，关于阶级和国家的理论，都成为我们研究财政学时的方法论的出发点，而应用于一般社会科学研究上的方法，特别是应用在经济学研究上的方法——唯物史观的方法，唯物辩证法，便是我们最主要的武器。

把唯物辩证法应用在财政现象的研究上，立刻使我们和束缚于旧方法中的讲坛学者们不同，循着唯物辩证法的指导，使我们能揭露出财政现象的本质，发现其无限错综和丰富的内容。这是创立新财政学之路，也是为着解决时代的任务要求更有效的实践的初学者，正确地接近财政问题之路。

唯物辩证法之所以称为唯物的，因为它首先承认“物质、自然界或存在，是在意识以外，不依赖于意识而存在着的客观现实；物质是第一性的现象，因为它是感觉、观念或意识的来源，而意识是第二性的现象，派生的现象，因为它是物质的反映，存在的反映”，应用到社会现象的研究上，便是“社会的物质生活，社会的存在，也是第一性的现象，而社会的精神生活是第二性的现象，派生的现象”，“社会的精神生活所由形成的来源，社会思想、社会理论、政治观点和政治制度所由产生的来源，并不是要到思想、理论、观点和政治制度本身中去探求，而是要到社会的物质生活条件中，从社会存在中去探求”。

在研究财政现象时，唯物的观点要求我们从客观现象的本身着手，从财政的历史和事实着手，而不是从反映这些事实的政策、原则、理论着手。财政在剥削阶级国家手中，一直是维持、巩固并扩展阶级剥削制度的工具，反映着统治阶级的要求，曾经发生过各种各样的财政思想和理论，作为统治阶级处理财政问题的指导。这些思想和理论，也曾运用在经济和政治生活上，积极地干涉着经济和政治的发展。从表面看起来，是财政的思想和理论决定着财政的现实，倒不是政治和经济本身客观的发展，阶级斗争的客观的必然，决定着财政关系的发展；而用财政思想和理论作为它的反映，现象上所表现的因果倒置，使我们容易犯一种错误，从财政制度和思想来寻求财政关系的理由，从财政思想本身来研究财政。一切离开现实的超然于历史的一般的原理原则就是从这个根源上产生的，在这样的错误下，我们便连财政思想发展的本身都无从解释。

唯物辩证法告诉我们，政治制度所由产生的根源是在于社会物质生活条件，而在社会物质生活条件的体系中，决定社会面貌，决定社会制度性质，决定社会由这一制度发展为另一制度的主要力量，是物质资料的生产方式，是把生产力和生产关系体现于生产过程中的统一的生产方式。这一点应用到财政学的研究上，就是当我们着手于一个财政现象的研究时，我们不能把它孤立起来，脱离了它与这个基础——社会经济关系而研究，相反的，我们需在社会经济的发展中来解释财政现象。这就是说，我们当研究财政的时候，要研究财政与经济的作用与反作用，在作用与反作用的错杂中，要认出基本的、根源的关系，是社会经济关系决定着财政关系，而并非相反。这又是说，我们研究财政史要以经济史为基础，财政的理论要以经济学上最新的研究成果为基础。

唯物辩证法并不否认社会思想、理论、观点和政治制度、财政制度的意义，它们在历史上有重大的意义，它们能反转来影响社会存在，影响到社会物质生活。从这个观点出发，我们对于财政政策和思想上的斗争，就不能忽视，因为它不仅消极地反映阶级利害的斗争，并且它直接影响着社会经济生活的发展。错误的反动的财政政策，是以扼杀社会生产力的发展，降低而不是提高人民物质生活的水准。反之，正确的财政理论，反映着人民发展生产力的要求，一旦把握住群众，便能变成一种物质的力量，帮助人民建设起新的国家。

唯物辩证法非但要我们从现象的全面关联上来观察现象，并且要从运动发展的过程中来观察现象。财政是历史的现象，各时代有各时代不同的财政，这是我们已经说明过的。所以我们研究的目的，也不是在追求一种“永恒的正义”之类的财政原则，而是解释历史客观发展的规律，而寻求出解决目前在具体历史条件之下的财政任务。这种任务的解决，丝毫也不能离开变动和发展的观点，因为财政现象是变动的，发展的，所以适用于过去剥削阶级国家的一套理论，在新的历史条件下就不适用了。又正因为变动的发展的，在新的政治经济条件下的具体的发展，我们就不能依旧时的条件来凭空设想，而是应该从那些正在发展的、萌芽的、表面上无关紧要而却有广大前途的力量上去看将来，从一切平凡的但完全立脚在人民利益的措施上，从人民解放斗争过程中片断的局部的零星的但是革命的财政经验上，去看出未来的方向。

唯物辩证法告诉我们，发展、运动，并不是直线的，而是经无数曲折由小到大、由数量的变化到质量的变化、由渐变到突变、由低级到高级的；而推动这变化的是内在的矛盾，我们在财政现象的研究上，亦应该从这样的观点来观察。从资产阶级国家的财政来看，到处表现着矛盾：国民劳动生产物有日益增大的一部分经赋税形式集中于资产阶级国家之手，而这种资源的运用却不是为着人民的利益；一方面为帝国主义侵略而庞大了军事费用，一方面因军事工业的需要而限制了和平工业的发展；一方面有国债的庞大累积，一方面有靠着国债发财的独占金融集团；国家虽然代表着统治阶级全体，但统治阶级内部却分成许多集团，有地主的集团，有工商资本家的集团，有金融资本家的集团，他们压迫和剥削的基本利益虽然相同，但彼此间各自有不同的经济利益，各自有不同的财政要求，哪个都希望减少自己的财政负担而多得公共支出的利益；所有议会中的斗争，表现出统治集团间财政上的矛盾。历史上每次财政改革，不外是这种斗争的结果，我们要从发展上来理解财政现象，就要从这些矛盾中间去追究其根源，从最明白表现内在矛盾的财政危机上去找线索，从财政上重大变革的时期去找材料。

新的财政学虽然还在创建过程中，但解决这个任务的条件却是完全具备的。在唯物辩证法的指导之下，在新的政治经济理论的基础上，运用一切适用的科学方法，批判旧理论，吸收旧经验，分析新经验而把它提高了理论的高度，这就是我们在方法论上的基本方向。

唯物辩证法自然并不是否定了演绎和归纳，分析和比较等方法，它是把它们作为接近客观世界认识客观世界的手段之一，它所排斥的只是这些科学方法的形而上学的基础，“在形而上学者看来，事物和它们的精神形态（关于事物的概念）都是个别的、不变的、凝固的、永远如此的东西；应该拿它们一个一个地、彼此不相关地来研究。形而上学者把世界万物都看作完全的、绝对的；他们的语言公式是‘是——是、非——非’，不然的话便是狡辩。”（见恩格斯《反杜林论》第十五页）在形而上学的基础上，归纳、演绎、分析、比较的方法都成了形式逻辑，割裂对象，抹杀发展，不能得出客观事物的正确反映，但是在唯物辩证法的基础上，它们应该是反映着客观事物中一般与个别、普遍与特殊、分化和结合的形式的繁复性，帮助我们理解事物的联系和发展。

在各种科学方法中这里特别要提起的是统计方法。财政现象从一方面来看是大集团的数量现象，最适宜于统计的处理。的确，在分析财政现象时，如果只有质的估计而没有量的分析和确定，是不能把现象清楚地表现出来的。一种财政制度的良否，一种财政政策的取舍，我们都应该根据财政统计和一般经济统计资料来决定。例如研究租税的影响，必须对各阶级财富与收入之分配，有正确的统计；研究租税之转嫁作用，必须有赖于正确的物价统计；研究资本主义国家财政支出和社会主义国家财政支出的本质上的差异，我们须有这些国家若干年间的岁出统计。统计方法帮助我们在搜集、判别、整理、分析资料时避免错误。所以它在财政研究上应用得非常普遍。

以上我们讲了研究财政学的方法，我们再略谈财政研究的立场问题。

和其他社会科学一样，财政学也有一定的阶级立场，财政学的研究者，不论有意或无意中，他总是代表着一定社会阶级来观察问题，这就是所谓科学的党派性。

新的财政学并不排斥这种党派性。相反地，因为它是服务于人民的科学，立足在最彻底的解放被剥削被压迫劳动人民的立场上，所以它能够最客观地来分析现象和解决问题。因为任何歪曲客观现象的理论，都有害于人民解放的事业。所以站在以人民利益为依归的最忠诚的立场上的时候，党派性非但不是和科学的客观性相颉颃的东西，反而是彼此吻合的东西，在新财政学上，我们做到党派性和严谨的科学客观性的一致。

但这并非说任何党派性的东西都是客观性的。在剥削阶级，因为受着保持并发展既有的剥削制度，他们当然坚决地站在自己利害的立场上，他们只有当它还代表着新兴的生产制度向旧制度斗争时，对于客观事物，能作相当客观的反映。但这种客观性还是不彻底的。一到他们所代表的制度内矛盾增长，或者接近没落的时候，他们就不自觉地或自觉地站在辩护论立场上，再不能对客观作正确的反映了。[1]

现代财政学可大别为三个立场：

资产阶级的财政理论，可以自由主义派为代表，自

[1] 马克思在《资本论》第一卷序言中说："英法两国的资产阶级，都已在那时夺去了政权。从此以往，无论从实际方面说，抑从理论方面说，阶级斗争都益采取公开的威胁的形态，科学的资产阶级经济学的丧钟响了，从此以后，成为问题的，不是真理非真理的问题，只是对资本有益抑有害，便利或不便利，违背警章，抑不违背警章的问题。"

亚丹斯密以来英国及大陆的初期财政学家，大都是属于这一阵营。他们是经济上的自由主义者，主张个人自由发展，主张租税只应以国家财政收入为目的，不应有其他的作用，主张国家职务应减少至最低限度，即仅限于防御、司法，及私人所不愿为的公众事业，除此三者之外，一切皆应由个人顺着自然法则，任意经营，国家不应予以干涉。这正反映着十八世纪末青春资产阶级的要求，即废除封建主义的桎梏，予资产阶级以自由发展的机会。

十九世纪中叶以后，资本主义矛盾已逐渐暴露，在无产阶级运动威胁之下，产生了社会改良主义的财政理论，称为社会政策学派。这派可以德国财政学家华格纳（Adolf Wagner）为代表，近世著名的财政学家，如法国的蔡司（Gaston Jeze）、美国的塞利格曼（Edwin R. A. Seligman），都接受他的传统。照华格纳的意思，财政只是一种手段，是用来改变社会财富分配的不均的。他的财政学说显然与自由主义者相反，他是以国家积极干涉为主。在支出上，他主张扩充关于民众福利的经费，在收入上，主张公有产业须扩充，运用租税以减轻资本主义的流弊。华格纳的这种主张，显然是小资产阶级的幻想。

马克思派则站在社会主义的立场，把国家看成统治阶级压迫被统治阶级的工具，财政是国家的经济行为，因此对资本主义国家财政，暴露了阶级的本质，把租税看作对国民大众榨取之一种形式，把国债看成资本原始蓄积的强有力杠杆之一，认为资本主义的历史倾向，一方面是财富之累积，一方面是贫困的累积，财政决不可能用来解决资本主义矛盾的手段。但在社会主义国家内，财政却成为国民经济的一个组成部分，对国民经济起着组织作用，完成社会主义建设基金的蓄积，及财富的适当分配，以发展社会主义的生产力。

从上述可以看出，每一个财政派别，都有其阶级性的立场，我们当研究财政时，自然必须有一定的立场，只有适合于生产大众的利益与人民大众的要求的立场，即马克思主义的立场，才是我们所应采取的立场。

第二章　财政思想的发展

第一节　概说

财政思想是财政行为的反映，它反映着一时代的作为统治阶级权力机关的国家对其被统治的人民间的经济关系。自从国家成立以后，财政行为就已存在。所以财政思想是同国家的成立同样有其悠久的历史的。但是有系统的财政思想，却不得不等到封建社会濒于崩溃，资产阶级开始抬头的时期才发展起来。这究竟是什么原因呢？

这个现象，不能不从资本主义以前社会经济的特征上找得答案。马克思说：

古代社会的生产有机体，比资产阶级的生

产有机体，是更简单得多，更容易理解得多的。那种有机体，是以个人的未成熟性（那时，人与人发生血族关系的脐带，尚未断去），或以直接的支配隶属关系为基础。

个人的未成熟性，直接的支配隶属关系成为古代社会的特征。所以在奴隶制和封建制的国家内，国家的公经济和统治者的私经济是很难划分的。当时，君主代表着国家，所谓“朕即国家”者是，而国家是高高在上，个人对于国家或君主，须无条件地服从。君主对于臣民可以予取予求，毫无顾忌。既然如此，自然不可能把代表国家的君主和个人对待起来以研究其彼此间的经济关系。另一方面，生产力的不发展，剩余财富之有限，经济关系的直接和狭隘，使许多财政现象变为简单明了的东西，而古代社会发展的滞缓，又使这种关系采取着多少固定的形式，财政思想因而也表现为片断的伦理的哲学思考的形式。

资产阶级，首先是作为一个被统治的成分而登台的。它挟着货币经济的威力，腐蚀着封建国家的基础，它要求封建专制国家的财政，服从于自己的需要。这时，才开始了个人的独立自由的经济活动和个人与国家的对等关系的问题，在财政上才发生了“取之于民而不扰民”的思想，就其内容来说，就是怎样使国家财政的收支，能帮助着资本主义的发展，能够“增加国富、培养财源”，而不是阻塞着资本主义的发展。资产阶级以人民的名义而提出的个人主义思想，实为直接的隶属与支配关系的消解而代以资本的货币的支配关系的反映。这种思想成为有系统的财政思想发展的背景。

对于过去财政思想作一简略的回溯，一方面可以使我们了解财政思想和社会经济发展的关系，因为财政思想不仅和当时其他思潮有关，并且它所反映的对象，也恰恰是社会经济环境的产物。另一方面，财政思想的发展，并非脱离了其他思想而独立的，财政学和其他社会研究的关系，从它的发展过程上也可以表现得出来。而在现今认为过时的错误的学说，在当时却是十分自然与合理的，这也可以从这种回溯中知道一点。

现在把财政理论的历史之发展分欧洲和中国两部分加以叙述。

第二节　欧洲古代的财政思想[1]

在欧洲古希腊罗马时代，虽然财政收入常常是国家的迫切问题，罗马帝国也曾发展了细密的财政行政机构，但关于财政理论并无系统著作。现在可以查考的，只有相传为齐诺芬所作的《雅典收入论》（Xenophon：*Athenian Revenues*）和塔西陀（Tacitus）、泼里尼（Pliny）、柏拉图、亚里士多德等著作中的散篇断章，还不成为系统的思想。[2]何以这时还没有建立独立的财政理论呢？这理由是很明显的：

希腊罗马社会是建立在奴隶劳动的基础上的国家，是奴隶主的国家，奴隶主脱离了生产劳动，游手好闲，对于生产劳动，养成了厌恶的心理。他们视物质生产为

[1] 本节及下节材料多根据 C. F. Bastable 著 *Public Finance* 第二章一六——三七页。

[2] 关于欧洲古代财政情形，后期罗马帝国的财政制度，可从《帝奥多亚法典》（*Theodosian Code*）中看到，近人著作，关于罗马者有洪伯脱论《罗马的财政与会计》（*Humberts Essailessur Finances et la Comptabilité publique chez les Romains*，Paris，1886），关于希腊者，有别克论《雅典国计》（Boekh's *Staatshaushaltung der Athener*，1887）。关于罗马人忽视租税原理的情形可参考梅利瓦《帝制下的罗马人》（*Merival, Romans under The Empire*，ⅷ.356）。

末业，鄙视工商业，自然不能看到国家的财政基础，归根结底是在国民的财富生产上，因此也看不到财政与经济的真实关系。

中古时代，国家组织比较罗马后期还要狭小。封建社会的组织，经济重心在乡村而不在都市，地主势力强盛，各国君主多赖官产收入，以应付其所需的费用。所谓官产收入，不外是国王自己的庄园上对于农奴劳动的剥削。因而封建国家的臣宰们不得不把他们的注意力倾注于官产的管理，在这样情形下，自然不能有完整的财政理论出现。片断的财政思想，散见于阿奎那（Thomas von Aquinas，1225-74）和柏屈拉克（Petrach，1304-1374）者，不外是王室庄园的经济的阐述，和现代意义的公共财政不能相比。

财政思想的发展，自中古末期和近世开端时开始的。自从十字军东征以后，意大利的工商业日趋发展，经济活动范围扩大，地中海岸先有若干城市，有租税及公债制度的萌芽。最繁盛的佛兰伦斯（Florence）共和国，先有财政问题的研究。当时财产税、消费税次第举办，且有适用累进税率者，因此有巴尔米里（Palmicri，

1405-1475）、瞿夏底尼（Guicciardini，1483-1540）研究累进税，有军事政治家加拉法（Carafa，1487 卒）主张国家岁入应有剩余。但当时佛兰伦斯的租税制度还很幼稚，这些著者都不能说明租税的意义和本质，对于所得和课税的关系亦不清楚。

第三节　资本主义初期的财政思想

严格地说，把财政问题作为一门科学来研究，是十八世纪后半叶的事。但是财政问题的热烈讨论，却从十六世纪已开始了。

这正是资本主义的曙光期，就是所谓原始蓄积的时期。这时中世纪的经济，无论在国家方面，在私人生活方面都逐渐瓦解，给近代的制度代替了。最初的政治著作，表现在马奇亚佛里（Machiavelli，1469-1527）和汤麦斯摩尔（Sir Thomas More，1478-1535），上者，还仅限于对古典著作的研究。但当货币经济发展，英国、法国、西班牙等集权王国次第巩固，美洲贵金属大量供给，币值大跌，物价暴涨，寺院财产变为俗界领有，军队变为常备军制，王室经费膨胀，恶币滥发，国王增收捐税等等一连串的政治经济大变化发生时，提出了许多问题，因而十六世纪末叶对于社会和政治的研究显著增进。

最先把财政成为系统理论而作为政治学的一部门的，是法国的波丹（Jean Bodin，1530-1596），他在《共和国六讲》（*Les six Livres de la République*，Lyon，1576-77）中，在第六讲讨论了财政。他对当时财政上的通病，攻击不遗余力。他反对朝廷滥费，反对滥发劣币卖官鬻爵。他以为国家在财政上的责任，是为支付公费而求适当的收入，以用于国家的名誉及利益，而以其剩余充非常准备。他把国家收入归成七类，以公产收入（官有地收入）、进出口税和直接税为最主要。他赞成输出入都征关税，但他分别"原料品"和"制成品"，主张对前者征收高率出口税，对后者征收高率进口税。他以为直接税是在必要时才征的，征收时要合于能力。他特别赞成奢侈税。他反对法国当时许多免除直接税的现象，主张实行人口调查，使租税能按财产分配。他以为支付非常经费和战费，应该先募集公债，但应募与否，应该听人民自由决定。他以为不应该募集有利息的公债，因为这可以使国家陷于破产。又因为国王常常无信用，以为租税之必要是由此而生的，这时征取租税并不违反正义，因为非如是不足以保证公共的安全与身体财产。我们由此可见，波丹的财政论中租税还不占重要地位。[1]

重商主义的财政思想 重商主义是商业资本的意识形态，商业资本在这个时期作为工业资本的先驱者而出现，它替资本主义生产准备着物质的前提。它一方面，集中着大量的货币财产，另一方面，造成广大市场，使生产日益带有商品生产的性质。商业资本日益扩大了商品流通的范围，增殖了不因消费量而限制的无限界的货币财富，用远地生产的商品来造成本地新的需要，同时亦就是扩大了本地对于货币的需求以及增进剥削剩余生产品的渴望。商人代表着货币形态的财富，和代表着使用价值财富的地主阶级对立起来，形成一个新的阶级，因为他控制着社会上新生的物质力量，他们的意识在当

[1] 对波丹的财政理论研究最详的法文中有波特烈耶《波丹与其时代》（Baudrillart's *Bodin et son Temps*，Paris，1853），英文中，哈伦《欧罗巴文献》（Hallam's *Literature of Europe*，Part ii，ch.4，§2）中有一总结。

时成为统治的意识。

整个社会，在商业发展的过程中发生了新的需要。小生产者逐渐依赖于市场，发生分化，使其中一部分贫困而另一部分转为富裕的作头和富农，他们都需要货币。封建主为了购买各种奢侈品，需要货币，农奴为解除身份的隶属和完纳这时已经由实物税变成货币税的租税，需要货币。国王伸张着他的权力，为进行战争和王庭的滥费，需要货币。各方面对货币的渴望是一样的。谁拥有大量货币谁就能起重要作用。货币这个神化了的偶像，开始支配了一切经济政策。大家把货币的增加看成臣民和君主全体福利的增加，竞竞于讲求招致贵金属的方法。在一个刚刚踏进商品流通发展道路的国家，单靠经济手段，还不足以吸收并保存国内所必需的金银数目，于是国家便作为积聚货币财富的杠杆，用立法来积极干涉国民经济生活。重商主义初期英国的立法，就是抱着两种目的：多量从国外吸收大批铸币，然后再努力把它保存于国内。后期的英国立法，就是奖励和统制出口货生产部门，限制工作时间，维持低廉工资，以促进对外贸易上的竞争力量，讲求输出超过输入，以吸引国外的货币。

重商主义的财政思想和当时的政治经济学理论是不可分的。亚丹斯密认为当时的政治经济学理论“提出两个不同的目的：第一，对人民供给丰富的收入或生活资料；第二，对国家提供够得开支公费的收入”。在后一目的上，德国十八世纪的官房学派发展得最丰富。这留待后文专门论述。法国的重商主义，以路易十四治下高尔伯（Colbert，1619-1683）为代表，当时法国专制政体的基本政纲是建立常备军和建立模范的出口货工业。专制政府一方面要维持贵族的穷奢极侈，一方面又要维持商业资产阶级对货币的渴望，结果是牺牲了农业来发展工商业，根本上削弱了专制政体的基础。成为高尔伯的经济政策的特点的，正是忽视农业，以及经济上和国库财政的利害的密切结合。在英国，重商主义的理论多侧重于贸易方面，如《英国在对外贸易中的宝库或对外贸易平衡》（*England's Treasure by Foreign Trade*, 1664）和《东印度贸易论》（*A Discourse of Trade from England unto East Indies*）的作者汤麦斯孟（Thomas Mum，1571-1641）就是代表。不过当时财政需用日大，消费税和直接税都次第发达，在租税政策上已引起热烈的争论——即所谓“消费税争论”。霍布斯（Holbes）代表着拥护消费税（Accise）的一派，主张课税应课于个人消费的物体，使个人随其消费的多少而纳税，方才合于正义；反之，若财产税、所得税，是向储蓄者征课的，结果成为惩罚储蓄，不得谓之适当。洛克（John Locke，1632-1704）代表着拥护直接税的一派，主张若在农业国家内树立消费税制，表面上地主虽免税，而租税转嫁的结果，毕竟归着于地主，不如直接征课地主。洛克氏的主张毕竟成了英国的舆论，英国在一六九二年颁布地租条例，设土地原簿。哈力克斯侯亦为直接税拥护者，他在就《英国现势论租税》（Marquis Halix：*Essay upon Taxes Calculated for the Present Juncture of Affairs in England*，1692）认为“消费税使原料腾贵，压迫生产实甚，势将削弱英国竞争，其结果，特别促进资本的缺乏，故课征消费税为不当”。

官房学派 官房学派是德国重商主义的特殊的发展，盛行于第十七八世纪，按官房学（Kameral-wissenschaft）的语根是“官房”（Kamera），在拉丁义为

“室”，中世纪指国王的会计室或财库，以后转用于表示国王的财产。所谓官房学，是训练行政官所必备的集政治、法律、经济、财政、技术诸知识之大成的学问。其后法律、行政诸学由其分离，这门学问就专注重于一般经济政策和官有地与特权收入等问题。

德国在三十年战争之后（一六四八后），专制君主制度日趋发达，官房学派首先反映此种专制政府的要求。但由于工商业发展的落后，初期学者多主张用官有财产及特权收入为主，来经管财政；对于租税，只在例外的条件下加以承认，公债则认为不必要；他们还是把国家财政，从私经济观点上加以考察。虽间或也论到增加国民财富和财政收入的关系，但其着眼点，仍旧是把增加国富作充实财政的手段。重商主义精神的具体表现，是在普鲁士腓特烈大王和奥国马利忒勒萨治下；这时的代表人物，在普鲁士有久斯提[1]（Johann Heinrich Gottlob

[1] 久斯提的著作为（一）《国家学》（*Staatswissenschaft*; Leipzig, 1755）;（二）《捐税论》（*Abhandlung von den Steuern und Abgaben*, Königberg, 1762）;（三）《合理的财政制度》（*System des Finanz-wesens nach vernunftigen Grundsätzen*, Halle, 1760）。

von Justi，1702-1771）。在奥国有宋能弗尔斯[1]（Josef von Sonnenfels，1733-1817）。

德国产业发展本较英国和法国为落后，地主势力为专制国王的基本台柱，商业资本家的要求只表现为与旧制度的折中妥协。所以在财政思想上，亦成为重商主义和封建主义的混合物。久斯提虽然强调财政与国富的不可分的关系，而驳斥专求增加国王收入不顾国富的思想，但是对于公产收入仍极看重，对于特权收入仍加辩护，在理论上不承认租税是经常收入，只在实际上认为租税不可免，辩护非常准备金制度，以从国外取得补助金为得策（当时普鲁士受英国军费津贴），这都表现着他和封建阶层的妥协思想。

宋能弗尔斯的思想比较上进一步，他亦强调财政与国民经济两者关系密切，但主要精神，还是代表着十八世纪后期中欧的绝对专制主义。他的理论中已透露若干自由主义思想。例如：他以为财政政策的中心在于课税

[1] 宋能弗尔斯的著作为《政策、贸易与财政的基础》*Grundsätze der Polizey, Handlung und Finanz*，Wien，1763-1767），此书可代表当时时代思想，即十九世纪中叶，奥国大学犹用作教本。

问题；认为豁免某一阶级的租税为不适当；认为官产收入只在小范围内可作为财政收入的根源；非难非常准备金制度；主张培养税源毋使枯竭等等。

德国财政学的确立，须等待两个条件：一、英国古典派经济思想的输入；二、拿破仑战争后德国各小邦改组财政上的迫切需要。这时德国才开始走上资本主义的发展道路。

重农主义　在经济思想上作为重商主义的否定而出现的，是重农主义。这派的中心思想，是标榜经济自由主义，反对重商主义的专制国家对经济生活的干涉；以为凡物均有其自然法则，个人最善于感知自身的利害，最善于顺应自然法则行动；国家的职务，专在保护人民生命、自由和财产，国家的行动范围应缩至最小限度。重农学派的基本认识是：可称为纯生产的，只有施于土地上的农业，课税只应课于此原始农业所生产的剩余，凡课税于工商业，结果势必转嫁于农业上面，因为只有农业是有纯生产的。因而发生农业单一税的理论。

重农主义者首先出现于法国，这是法国农业资产阶级的意识形态。法国绝对专制主义的统治，加以连年战争，高尔伯治下的多面商业政策，造成了国家表面的繁荣，却使人民陷于贫困，租税既不公平而又繁重。于是，首先有服榜（Vauban，1633-1707）将军作《王家什一税论》（*Dime Royale*），提议取消当时大部分租税，用王家什一税来代替，对一切阶级一律征百分之一的单一直接税，他攻击包税制度以及当时财政制度上的紊乱与复杂。这里可以看成思想上的一个转变点，即以前的财政家只看到对商品征税用以鼓励工业，而现在则清楚地估量着租税的真正负担。霸基尔培（Boisguillebert）在他的《法国详情》（*Détailde la France*，1697）和《法国事实》（*Factum de la France*，1707）中抱着同样观点，为农村经济辩护，并强调直接税的好处。

重农学派的鼻祖为揆内氏（Francois Quesnay，1694-1774），他的《经济表》（*Tableau économique*）是想把社会生产和流通当做自然秩序描写出来的第一次天才企图。他在财政上提倡单一土地地税制，他认为当时社会贫困的主要原因在于课税太重，间接税应加废除，因为征收间接税的结果，归根结底仍由土地收益中支付，不如直接课税于地租；惟有非农业的商业都市及商业国家，因为没有土地收益，才可征收关税、国内消费税及人税。揆内所主张的直接税，意思和现今所指直接税不同，是单指土地税而言的。关于租税征收的方法，他竭力反对包税制。

自由主义学说的集大成者，是英国的古典学派。

古典派 古典派的鼻祖是亚丹·斯密（Adam Smith，1723-1790），他是新兴的工业资产阶级的代言人。十八世纪末期的英国，资本主义生产已蓬勃发展，它依赖自己的经济力量，已足以征服一切；过去的国家干涉，现在反而转为经济发展上的束缚。斯密顺应着这个潮流，高举自由放任主义的旗帜。他主张国家的职务应缩小至最低限度，国家对人民的经济活动应完全不加干涉，而任其自由发展。在《国富论》（*Wealth of Nations*）的第五篇中，专论“国家的财政”内分三章，第一章论经费，第二章论公共收入，第三章论公债。他把经费分为：一、国防费，二、司法裁判费，三、公共事业设施及经济费，四、皇室费等，认为利益及于全体的经费应该按国人能力为等差普遍负担，利益及于一地或少数人者，经费应由受益人负担，前者如国防费皇室费，后者如司法裁判费；这种依享受利益分担经费的学说，至今还是资产阶级财政学者所标榜的。

亚丹·斯密在税收上不同意重农学派的单一税制，他以为应该建立一个租税系统，用多种租税构成。他以为生产要素是土地、劳力和资本三者，课税于生产来源，应为土地税资本利息税和劳力所得税。除此种直接税外，他亦提到关税、消费税和人头税，他不反对关税，但反对妨碍自由贸易的报复关税，他以为消费税最终转嫁于富者负担，但人头税则因其漠视最低限度生活，视为很不公平。

亚丹·斯密提出了课税的四大原则，后来的资产阶级学者多奉为圭臬，就是“平等”、“确定”、“便利”、“最小费用”四大原则。所谓平等原则，就是租税应该和国民所受保护的财产所得相比例，全然均等；所谓确定原则，就是租税的金额、纳税期、征税方法等，应该用法律规定，不可听行政官吏随意决定；所谓便利原则，即租税不可不依照纳税者认为最便利的时期和便利的方法来征收；所谓最小费用原则，就是租税征收费用应该尽量节省至最小限度。

亚丹·斯密对当时政府屡次起债，认为不当，公债非普通所应采取的财政手段，募债而无充分财源准备还债，是危险的。他又反对维持公产，认为由国家来经管土地，决不能适当，所以不如卖掉了来偿还公债，这亦是经济自由主义表现之一。

亚丹·斯密的著作，译成许多国文字，对于当时财政思想所起的作用甚大。而继承着他的学说而加以发展的，是李嘉图（D. Ricardo，1772-1823）。

李嘉图的主要著作为《政治经济及赋税之原理》（*Principles of Political Economy and Taxation*，1817），以为租税之来源，出于人民的资本与所得，而国家经费的支出，则纯属于消费；主张课税应该仅以所得为对象，不可及于资本，否则将阻碍国民资本之蓄积。租税应该从资本的利息，土地的收益，或营业的利得中支付，就是说，应该从纯益中求税源为最得当。因此，继承、交易、印花、登记等关于财产转移的课税，李嘉图均不赞同。李嘉图对于租税转嫁特加研究。根据其地租理论，课税于地租，不致提高生产物的价格，所以土地税只归地主负担，不转嫁于生产者。至于粗制品和奢侈品的课税，负担转嫁于消费者。资本利息税，亦归于资本家负担，因而亦不发生转嫁的问题。李嘉图对于公债，和亚丹·斯密一样，认为非常危险，主张即在支付非常经费时，亦以依据租税为比较安全。对于当时既有的公债，即因拿破仑战争而在英国引起的巨额公债，主张应该立即按国民人数分配从速偿还。在一八二〇年出版的《基金制度论丛》（*Essays on Funding System*）中论述甚详。

穆勒（John Stuart Mill，1806-1873）是李嘉图以后古典学派中最杰出的人物，也是古典学派变质为庸俗主义的转向的人物。马克思在评估穆勒在经济思想发展中的地位时，他说："一八四八年大革命，在英吉利，也曾发生反应。不愿单为支配阶级辩护，不愿单向支配阶级献媚，仍相当要求科学意义的人，就尝试以资本的经济学，和已不容忽视的无产者的要求相调和；于是一个浅薄的折中派发生了。约翰·穆勒就是一个最著名的代表，这正是资产阶级经济学破产的宣告。"穆勒在所著《政治经济学原理——及其在社会哲学上的若干应用》（*Principles of Political Economy with some of their applications to social Philosophy*, London, 1849）一书中，在第五编"政府的影响”（On Influence of Government）的标题下讨论财政。穆勒虽然承自由主义的衣钵，而于国家行动范围，已不如斯密立论之狭窄，以为国家行动只应限于国防及司法范围，他主张应该看实际需要为标准；论到赋税，主张平均负担，以为各人的牺牲应该均等，而累进税有碍资本蓄积，使勤勉者牺牲，怠惰者便宜，这里充分表现出为资本家阶级辩护的理论。因为英国资产阶级，经过反谷物条例的斗争，已经完全胜利，掌握政权，这时理论家的任务，已不是尽量限制国家行动范围，而是怎样使其发挥服役于资产阶级的效能了。对于公债的态度上，也可表现出这个变化。假如亚丹·斯密和李嘉图还以为公债是危险的，穆勒却认为要依靠公债。公债已不成为国家加于资产阶级的一种负担，相反的是资产阶级控制国家及赖以发财的一种手段了。

亚丹·斯密的财政思想，输入了法国，就发挥了它消极的一面。塞伊（Jean Baptiste Say，1767-1832）在其《政治经济学论》（*Traitéd'Économie Politique*，1803）的消费篇中，讨论了岁出岁入及公债等问题。他的金科玉律是“最好的财政计划是支付得最少的计划，最好的租税是收入量最少的租税”。当时法国财政制度的复杂紊乱，引起学者特别注意于财务行政问题，法国财政学者对于财政专门问题注意得比英国的财政学者多。关于“租税”和“公收入”写了无数论文，其中许多人表示出一种倾向非常厌恶带有“社会主义”气味的一切财政措施，如累进税，甚至对所得税都表示反感，除了少数例外，大都对租税转嫁问题等类抽象讨论都无兴趣。他们对历史和统计则甚注意，出了许多著作。莱翁·塞伊（M. Leon Say）主编的《财政辞典》（*Dictionaire des Finances*，2vols，1849）是法国财务行政资料的宝库。

亚丹·斯密的思想传入德国，引起官房派财政理论的改造，最重要的人物是劳（Karl Heinrich Rau，1792-1870），他把新旧学说打成一片，他的著作《政治经济学教程》（*Lebrbuch der politischen O'konomie*，1832）在第三卷中，论《财政学原理》（*Grundsätze der Finanzwissenschaft*），在绪论中论述财政及财政学的本质和任务，财政学与其他诸科学的关系，财政学史，其次分论支出、收入、收支关系、财务行政。他处理的系统成为后来财政学的模范。他的书在一八三二年至一八七〇年间，成为大学唯一的教科书。

把劳氏财政理论的要点提出几项，可以表示出这个时期和官房学派思想大不相同的地方：劳认为财政学是专攻国家借财富以支付其经费的方法。论及财政学上的原则，他于一般经济原则、法律的政治的原则之外，强调国民经济的原则：即财政应尊重国民经济的法则，以分配支出与整理收入，财政收入所以能历久不衰，实基于国民的富，不宜有破坏国富的举动。关于经费，他分为必要费与有益费，前者应在于无碍目的之成就的范围内，考量其能否减少。后者应将支出结果所能得到的利益，为着应付此项支出而筹划收入的困难，两相比较，以定取舍。关于收入，认为特权收入带有独占性质，对民间既成事业不应创设新特权，对旧特权只有一定条件下维持。关于租税，认为应以收益税为中心，以所得税及消费税补充之。

这时期重要的财政著作有：奈柏纽斯（Friedrich Nebenius，1784-1857）的《公债论》（*Deröffentliche Kredit*，Karlsruhe und Baden，1820），公债亦是当时争论最烈的问题之一，这本书论述非常详细。和夫曼（T. G.

Hoffmann，1765-1847）的《租税论》（*Die Lehre von den Steuern*，1840）是关于当时普鲁士的财政政策的理论。荷克（Karl Freiherr v. Hock）的《公课与公债》（*Dieöffentliche Abgaben und Schulden*，Stuttgart，1865），以租税作为国家给付的报偿，并由此推论说明国家给付的均等、不均等之分，租税亦与之相适应，对于均等给付有人头税，对于不均等给付，有所得税，对于特殊给付有勤劳税，此三者为基本的租税。他并且论述租税的前转、后转、消转，成为现代的租税转嫁理论的最初的研究。

第四节　现代的财政思潮

十九世纪中叶以后，特别是在普法战争（一八七〇）以后，在财政思潮上，划了一个新的阶段。这和资本主义的发展阶段相关联，应用机器的大工业生产已经获得主导地位，几个主要国家的资产阶级已经巩固了自己的政权，德意志民族国家已经完成，无产者运动大大展开，无产阶级已成为一个自觉的政治力量，用马克思主义来表示出它自己阶级的理论，资本主义争夺殖民地征服全世界的过程正在发展，新的资本组合形式——股份公司开始萌芽，资本主义内在矛盾日益成熟，迎接并准备着向帝国主义阶段的转变。在理论上，资产阶级辩护论的经济学说已经完成，而代替资产阶级御用学说作为新的无产阶级武器的社会主义经济理论，由于马克思《资本论》的出版（一八六三）而形成了完整的体系。

在这样的环境下，财政思想分着两个方面前进，一方面是所谓社会政策学派的方向，一方面是马克思主义所代表的对资产阶级财政的批判。

社会政策学派发生于德国。表现为对古典学派尤其是自由贸易派的反动，表现出否认古典派根本思想自由学说的倾向。巴斯脱勃尔（C. F. Bastable）指出影响于该时期财政思想的主要因素有三："一、'历史'学派的兴起。（历史派勃兴后，应用历史的研究法于经济研究，甚至主张经济学为研究经济史之发展法则的，又自伦理的观点，将一切经济事情与伦理原则相结合而加以考虑，社会政策的概念由此而生。）二、作为最新意义上的'行政'（Verwaltung）的一部分来论述财政的倾向。三、在财政处理上，支持有别于纯财政目的的政治的和社会的目的。”[1]这时出版了几本财政史的研究著作[2]，提供了许多历史资料，他们指出不可能定出适用于一切历史时期的通则，以动摇一般信仰的理论，这时（一八七一年前后）德国和各国正在实行财政改革和税制改革，又发生直接税间接税的争论、公债的争论、官有财产是否应视为国家财源的争论，以及租税行政、财务行政、财务立法等等经验，地方财政之经验，都成为理论的素材。把财政当做重新分配财富的手段的主张，最明白的代表者是华格纳（Adolf Wagner，1835-1917）。他《在政治经济学教程手册》（*Lehr und Handbuch der politischenökonomie*）第四部《财政学》（*Finanz-wissenschafs*）

[1] 参看 C. F. Bastable：*Public Finance,* p.30。

[2] 雄柏格《巴塞尔城财政关系》（*Schönberg's Finanz-verhaltnisse der Städt Basel*, 1879），石摩勒《普鲁士财政政策的各时期》（Schmoller's *Die Epochen der preussischen Finanzpolitik*），卓依末《德国城市租税》（*Zeumer's Die deutschen Städtesteuern*），福克《帝国租税史》（*Geschichte der Steuern der brit Reiche*），较早的历史著作有兰《格德国税法的史的发展》（V. Lang，*Historische Entwickelung der deutschen Steuerverfassungen*, Berlin, 1793），许尔曼《租税之源》（*Hüllmann's Ursprunge der Besteuerung*，Köln，1818）和《中古德国财政史》（*Deutsche Finanzgeschichte des Mittelalters*，1805）和克里西莱西亚《税法的史之发展》（V. Kries's *Historische Entwic-kelung der Steuernver-fassung in Schlesien*，Bres-lau，1842）。

中认为国家行动的限界不能绝对的划定，在文明国家，限界自然扩大；国家行动的限界，不能只顾生产的利害，他以为当进一步顾及富的生产与社会势力关系的消长，他强调国家得由其经费的支出，由其收入经济，由其租税制度的组织，由官业，由起债等等，对于国民经济的全体组织，尤其对于富的分配，发生非常的影响。他的社会政策思想，就是利用财政手段来影响社会财富的分配，来矫正分配的"不公平"。他这种思想，特别表现在《租税论》上，他以为租税的目的，不仅在于应付支出，更应以调整国民所得的分配与个人所得的消费为其目的。据华格纳说，若单从自由放任的经济思想观察，则以为富及所得分配的不平等，是万物自然的趋势，凡想用人为的租税以及其他方法来对这种不平等加以干涉或调节，都是违反自然法则的；他说，若由自由放任的观点来看，在租税上只要有普遍的原则就行了，所谓最低生活费的免税，就无讨论的价值，而租税的平等负担，也只要用比例课税而不必适用累进税率了。但是，若把财政作为实行社会政策的手段，情形就不相同。譬如在租税的普遍原则中，实行最低生活费的免税，在租税负担平等的原则中，侧重累进税率；对于财产课税，应比对于劳动课税为重；对于偶然所得或不劳所得应该格外课以重税；在间接税中，特别是课于必需生活品的税，因其转嫁之故，违反公平原则，应该撤废。

但是华格纳并非主张取消资本主义制度，只是用财政政策来“救治”资本主义的弊害。他以为用国家财政政策可以把资本主义下发生的巨富与庞大所得加以限制，用租税与公营事业可以矫正人民财富分配的不公平，而达成：一、树立有系统的生产秩序，二、防止个人特别享受经济地位而牺牲别人的利益，三、对于劳动分子与小民，充分予以物质的分配。

这种浅薄的庸俗的“国家社会主义”的财政理论，何以在这时候会流行起来呢？一方面，由于资本主义矛盾的加强，贫富两极的分化和斗争，已证明资本主义并非什么万世的乐园，而是一种新的剥削制度，而国家实际上所代表的，并非是什么平民的利益，而是少数富有者维持和扩展其剥削的工具。在无产者反抗的威胁下，资产阶级理论家的任务是在于发展其国家超然和阶级利害调和的理论，以散布幻想和欺骗，给小恩小惠而隐蔽其丑恶的实质。社会主义已不能任意驳斥，因而资产阶级的利益也要用带社会主义色彩的空招牌掩蔽起来。第二方面，资本主义已更进一步的发展，国家与大资本的结合更加密切，国家不仅要保障资本主义的秩序，并且更要积极地干涉国民经济生活，来适合于大资本的利益。这个倾向，在踏入帝国主义阶段时更加明显，重要的国民经济部门，都经由国家财政，用国营的形式，把握在寡头资本的手里。财政在资本主义国家手里，决不是什么“公平”“正义”平均财富的手段，只是促进资本蓄积扩大贫困的手段。但是正因为要充分完成这种作用，在新的条件下，靠自由主义已经不够了，要用干涉主义，而干涉主义的借口，却是为“平民的福利”，为平均财富，为不经过斗争而和平地“建设”或和谐地、不经牺牲而进行改良的温和的“社会主义”。

属于华格纳派的其他德国学者有：斯泰因（Lorenz von Stein，1815-1890），他著有《财政学教科书》（*Lehrbuch der Finanz-wissenschaft*，Leipzig，1860）；谢富勒（Albert Schäffle，1831-1903）著有《租税政策的基础和德、奥财政问题》（*Die Grundsätze der Steuerpolitik und die Schwenden*

Finanz-fragen in Deutschland und Ostreich，Tübingen，1880）；讷伊曼（Neumann）著有论租税的许多专册；福克（Wilhelm Vocke，1820-1906）对租税及其他财政制度的发展史有一些的研究。

与各派资产阶级财政理论对立着的，是马克思、恩格斯的科学社会主义的财政观，它认为国家是阶级压迫的工具，所以资产阶级国家，不过是组织得更集中的资产阶级，财政不过是达到资本主义下统治阶级利益的手段。马克思虽然不及完成他系统的财政著作，但在《资本论》中，有多处涉及财政，对资本主义国家的主要财政现象作透骨的评价。例如关于各国不时随着财政上的必要而发行的公债，认为是资本主义所谓“原始蓄积”之一个方法。“殖民制度及伴起的海上贸易与商业战争，都是育成这种国债制度的温室。”“公债为原始蓄积之最强有力的杠杆之一。它如像挥动魔杖，使不孕的货币有生殖力，把它转化为资本，由是，产业投资甚或高利贷业所不可避免的困难与危险，货币却不用亲自负担了。国债的债权者，实际上并不曾拿出什么，因为，他所贷与的金额，转化为容易移转的公债券了。这种公债券在他的手中，和同额硬币有相同的作用。由是，产生了一个无所事事的食利者阶级；由是，在政府与国民间尽着媒介机能的金融业者，获得了速成的富：由是，赋税包征人、商人、私人制造业者，将以国债的一大部分，当作从天而降的资本来利用。但除开这些，国债还引起了股票公司，一切有价证券的买卖，公债券的投机买卖，约言之，即股票投机与近世银行支配权（moderne Bankokratic）。”[1]这是对公债何等精辟的评价！

马克思对于租税制度，称为“国债制度必不可缺少的补充”。他说：“国库收入，必须够逐年支付公债的利息等等。国债既以国库收入为支柱，于是近世的赋税制度，就成为国债制度的不可缺少的补充了。政府靠国债来开销临时费，纳税者是直接感知不到的，但其结果，非借增税来弥补不可。在另一方面，由负债重叠增加所引起的增税事实，又使政府发生新的临时费的开支，因而有不绝募集新公债的必要。由是，以必要生活资料税（生活资料的价格，当然因以昂腾）为运转枢轴的近世

[1] 马克思《资本论》第一卷第七篇第二十四章“所谓原始蓄积”（中译本，六四四——六四五页）。

财政制度，就在其自身内部，包藏有自动进行的胚胎了。重税已不是一个偶然的事情，而成为一个原则了。”[1]

马克思当亡命英伦时，正值自由贸易的观念弥漫三岛，他对于当时英国财政之改革，颇多议论。他对于租税的转嫁亦有极深刻的见解。马克思曾批评所得税说：“所得税主张不课及劳动者，这是不合事实的，在现今企业家和劳动者互相对立的社会制度下，资产阶级总是想减低工资或提高价格来将繁重的租税免除的。”

马克思并未凭空预测将来社会主义制度下的财政，社会主义的财政制度和理论是在社会主义的建设的实践中产生的。这我们留待将来再来论述。

第五节　欧美各国财政学参考书籍

现在就英、德、法、美、意、日各国的财政学古典著作中通行而较著名的择要介绍，以供读者参考。

一、英国

巴斯脱勃尔《财政学》（C. F. Bastable：*Public Finance*，

[1] 马克思，同上书中译本，六四六页。

初版 1892），这是英国第一部有系统的财政巨著，巴氏受自由主义熏陶，见解有独到处，出版时间早，部分失时效性。

达尔顿《财政学原理》（H. Dalton：*Principles of Public Finance*，1922），中文译者为杜俊东氏，黎明书局出版。

薛赉士《财政科学》（G. F. Shirras：*The Science of Public Finance*，1924），中文译者为许炳汉氏，改名为《财政学新论》，商务印书馆出版。条理清晰，富于统计资料，详述各国现制。

庇古财《政学研究》（A. C. Pigou：*A Study in Public Finance*，London，1928），庇古为剑桥大学教授，此著较为专门，不宜初学者。

斯登普《租税的根本原则》（Sir Joseph Stanps：*Fundamental Principles of Taxation*）。

霍布生《新国家的租政》（Hobson：*Taxation in New State*）

二、德国

斯泰因《财政学教程》（Lorenz von Stein：*Lehrbuch der Finanzwissenschaft*，Leipzig，1860），把财政学作为国

家学的一部门，又把财政学研究范围分成两大部门，即财政立法和财务行政。

罗雪尔《财政学》（Wilhelm Roscher：*System der Volkswirtschaft*，Stuttgart，1886）

马奋白克《财政学教程》（Karl Umphen-bach：*Lehrbuch der Finanz-wissenschaft*）

爱信格《财政学》（Ehrberg：*Finanz-wissenschaft*，Leipzig，1882），中译者为傅英伟氏，商务印书馆出版。

萨克斯《理论财政学大纲》（E. Sax：*Grundlegungder Theoretischen Staatswir-tschaft*，Wien，1887）

佛克《财政学大纲》（Vocke：*Grundzug der Finanz-wissenschaft*，1904）

谢弗尔《租税》（Albert Schäffle：*Die Steuern*，2Bd. Leipzig，1895-1897）

黑克尔《财政学教程》（M. von Heckel：*Lehrbuch der Finanz-wissenschaft*，Leipzig，1Bd.，1907，2Bd.，1911）

罗斯《财政学》（W. Lotz：*Finanz-wissenschaft*，Tübingen，1917）

格洛夫与迈息尔《财政学手册》（G. Gerloff u. F.

Meisel：*Handbuch der Finanzwissenschaft, 3Bde*, Tübingen，1916.）

萱柏格主编《政治经济学手册》第三卷（Schönberg：*Handbuch der Politischen Ökonomie*，4 Aufl.，Tübingen，1897-1898），执笔者有 Geffoken，Scheel，Schall, Wagner，Zeller，Reicke，Reitzenstein。

此外，沙滋教授（Schanz）和穆尔（Mohr）所主编之《财政学杂志》（Finanz Archiv，*Zeitschrift der Gesamten Finanz wissenschaft*）每两年出一期，为研究财政学者重要参考资料。

三、法国

法国的财政学界，虽无德国发达，但近年来进步亦颇可观。廿世纪以来值得重视有两位财政学家：

蔡司《财政学及法国财政立法基础教程》（Caston Jéze，*Cours Élementaire de Science des Finances et de Législation Financiere Franöaise*，Paris，1909）、《预算论》（*Traitéde Science des Finances*，I. Le Budget）、《财政学讲义》（*Cours des Finances Publiques*）为巴黎大学讲义，材料广博。

亚里克司《法国财政立法》（E.Allix：*Traité*

Élémentaire de la Science des Finances et Législation Financière Franöaise，Paris，1907，5ed.，1928）对法国财政制度之论述颇有权威。

此外在法国称为古典名作者有：

勒乐亚·巴留《财政论》（Laroy-Beawlieu：*Traité de la Science dcs Finances*，2 Vols.，Paris 1877，8ed，1912）立脚于经济自由主义，分量甚大。

四、美国

卜南《财政学入门》（Carl E. Plehn：*Introduction to Public Finance*，New York，1897），中译李百强氏，称《财政学大纲》，世界书局出版，我国各校多采为课本。

旦尼斯《财政学纲要》（Daniels：*The Elements of Public Finances*，New York，1899）

亚当士《财政科学》（Adams：*The Science of Finances*，New York，1899）

洪透财政学大纲（M. H. Hunter：*Outlines of Public Finance*，New York，1925）

在美国财政学界最负盛名的，首推哥伦比亚教授塞里格曼（Edwin R. A. Seligmann），著述甚多，关于租税方面者有《租税论丛》(*Essays on Taxation*)、《所得税论》(*Income Tax*)、《租税之转嫁及其归宿》(*Shifting and Incidence of Taxation*)、《累进税之理论与实际》(*Progressive Taxation in Theory and Practice*)。至于一般财政学著作有《财政学研究》(*Studies in Public Finance*)与《财政学选读》(*Selected Readings in Public Finance*)亦有名。塞氏在资本主义财政学者中被承认为权威学者。

五、意国

意大利重要的财政学著作甚多，现代意大利财政学先驱者首推柯沙教授（Prof Cossa）所作《财政学》(*Scienza delle finanze*，1876)，有英法译本。

尼蒂《财政学》(Nitti，*Sicenza delle finanze*，1903)法译者为 G.Chamard，尼蒂氏主张民主，为墨索里尼所逐，出亡美国，曾著书反对独裁财政。

格拉齐尼《财政学体系》(Graziani，*Instituzioni di Scicnza delle Finanze*，1897)是一本教科书性质的著作。

六、日本

日本的财政界未脱翻译阶段，但是亦有几部值得注意的著作。

小川乡太郎《财政总论》，中译者何崧龄氏，商务印书馆出版;《租税论》，中译者萨孟武氏，商务印书馆出版;《税制整理论》、《财政与社会问题》皆无中译。以上数书，材料虽旧，但条理清晰，纲举目张，说理明白，是其特长，惟观点陈腐，应加批判的阅读。

宇都宫鼎《财政学》三卷、《财政学纲要》。

大内兵卫《财政学大纲》，中译者施复亮氏，大江书铺出版，本书尝试从新的社会科学观点立场检讨财政，是其可贵之处。原书出了上卷（“概论、经费论”）及中卷（“租税论”），下卷因禁止未见出版。

阿都贤一《租税之理念及其分配原理》、《财政学》、《财政学史》、《财政政策论》(《经济学全集》第二十卷)，最后一书有施复亮氏译本，对英国工党、意国棒喝党、苏联共产党的财政政策，颇有新颖见解，虽已过时，仍有参考之价值。阿都氏亦为试从马克思主义立场研究财政学者。

其他著译尚多，不暇一一列举。

在第二次世界大战期中，欧美也出版了一些关于财政学的著作。战时财政问题最好的讨论，很多见于定期刊物，有许多系政府机关未出版的备忘录，然亦有成书者。较重要者有 A. D. Hart，E. D. Allen 合著的《国防费的支付》(*Paying For Defence*，1941)，W. L.Crum，J. F. Fennley，L. H. Seltzer 的《全面战争的财政计划》(*Fiscal Planning For Total War*，1942)，C. Shoup，M. Friedman，R. P. Mack 的《征税防止通货膨胀》(*Taxing to Prevent Inflation*，1943)。在这方面，战时的思想多少受到凯恩斯（Keynes）不同程度的影响，这由一九四〇年后出版的许多书中可以看出来：A. H. Hansen 的《财政政策与商业循环》(*Fiscal Policy and Business Cycles*，1941)，J.W. Angell 的《交易就业与商业循环》(*Full Employment and Business Cycles*，1941)，H. H. Villard 的《赤字财政与国民所得》(*Deficit Spending and National Income*，1941)。Hansen 书中将凯恩斯说法的早期分析结合起来，建议使用政府财政力量以达到经济的稳定。

第六节　中国古代的财政思潮

中国在鸦片战争以前，社会经济一直停滞在封建经济的阶段上，无论是经济理论或财政思想，都表现得十分落后，正因为当时的社会经济条件，还不能产生有系统的财政思潮，所以理财名手虽然历代多有，而阐扬财政的论述，却很少看到，即使有这种论述，亦不过是散见于诸子百家的学说中，成为政治哲学的一部分。

儒家哲学是中国封建统治的理论，它对于财政的理论，在表面上好似把握财政的基础在于经济，国用的基础系于民生，但实质上，这是一种圣君贤相的王道哲学，也是为统治阶级服务的儒家精神的发扬。孔子说："百姓足，君孰与不足，百姓不足，君孰与足。"荀子也说："下贫则上贫，下富则上富。"所以他们主张轻徭、薄赋、简政、节用、藏富于民。例如孔子说："是故贤君必恭俭礼天下，取于民有制。"又说："礼，与其奢也，宁俭。"又说："道千乘之国，节用而爱人。"荀子说："足国之道，节用裕民，而重藏其余。"又说："上好取则国贫，士大夫众则国贫。"《礼记》说："生财有大道，生之者众，食之者寡，为之者疾，用之者舒，财恒足矣。"吕氏的解释是："国无游民，则生之者众；朝无幸臣，则食之者寡；不夺农时，则为之者疾；量入为出，则用之者舒。

此四者，理财之要目，治平之至理，由之则治，违之则乱。”所以儒家在消极方面，反对聚敛：“百乘之家，不蓄聚敛之臣，与其有聚敛之臣，宁有盗臣。此无他，不以利为利，以义为利也。”《吕氏春秋》说：“竭泽而渔，岂不得渔，明年无鱼。”冉求当了季氏宰，把赋粟加倍，孔子就向门徒说：“鸣鼓而攻之可也。”孟子攻击当时聚敛之臣说：“今之所谓良臣，古之所谓民贼。”这些都是反对聚敛的表现。

这种思想，对于后代专制统治者影响很大，如隋文帝世称一代明君，曾下诏：“宁积于人，无藏府库”，每代开朝的明君贤相，都用免征、蠲租、轻徭、薄赋作为治平之道，实际上也是收拾人心的手段。在农业社会生产力发展低微的情况下，这种思想，是可以和缓阶级矛盾，巩固地方政权的，然而我们不要以为这真是为民众打算。因为在统治者眼光中所谓民，实际上主要是地主，地主对农民的剥削，是统治者所支持而不加过问的，儒家的思想“重农本而贱末作”（末作即工商业），就是地主思想的表现，它和商品经济的发展相对立，影响着以后社会经济的发展。秦汉以后，中国虽建立了统一的中央集权的封建专制政体，但地方的力量还很强大。轻赋正是封建君主团结地方封建势力取悦于地主豪绅的一种手段。然封建君主和他的全部官僚系统，实际上并没有这样老实；每当政权已经相当巩固，而社会经济比较繁荣的时候，他们便表现出穷奢极欲，苛征暴敛的真面目来。正赋以外，加以贡献，官吏搜刮诛求，等于劫夺，政府巧立税课名目。官吏趋炎附势，以多征为能，同时大部税收中饱私囊，专制政府，甚至公然卖官鬻爵，增加收入，官吏职位既是出钱买来，便向人民敲索回什百倍的利钱。这些帝皇宰相大官小吏口里何尝不是仁义道德，然而一到有机会聚敛时决不放松。只有当农业社会经过了过度的剥削，或多年的战乱，而沉沦于破产穷乏的深渊时，统治阶级为了得以永恒的榨取，才再捧出儒家轻徭薄赋的法宝来收拾局面。

墨子对财政的看法又是一种，他虽然同样主张节用，却亦主张兴利，认为“圣人为政一国，一国可倍也；大之为政天下，天下可倍也；其倍之，非外取地也；因其国家，去其无足以倍之。圣王为政，其发民兴事，便民用财也；无不加用而为者。是故用财不费，民德不劳，其兴利多矣”。墨子在政治思想上，代表着下层社会农工奴隶政治解放的要求，所以在财政上，不是消极的节用而已，并且认为“圣人发民兴事，为民用财也，无不加用而为者”，就是说，财政应该是为人民的财政，所以取于民，为着更多地用之于民。这样的财政，才是用财不费，而不是加重人民的负担。在儒家，所谓求生财不求聚财，还只是养肥了再榨，不要竭泽而渔的意思；在墨家，则根据其兼变交利平等互助的原则，所以“取”为了“予”，所以“少取”为了“多予”，多少有点为人民服务的观点。

法家的财政思想，所谓轻重之术，可以管仲为代表。管仲相齐桓公，运用轻重术，实即价格变动的规律，从控制市场来取得财政费用。他说：“岁有凶穰，故谷有贵贱；令有缓急，故物有轻重。物多则贱，寡则贵，散则轻，聚则重。人君知其然，故视国之羡不足而御财物，视物之轻重而御之准，故贵贱可调，而君得其利，古之理财，未有不通其术者。”管子有《轻重》甲、乙、丙、丁、戊、己庚等篇，都讨论轻重的要义。

管子主张用国营专利的办法求财政来源。他反对依赖土地、房屋、牲畜、人丁、户口征税，主张轻税而发展国家营业。他说："以室庑籍，谓之毁成，以六畜籍，谓之止生；以田亩籍，谓之禁耕；以正人籍，谓之离情；以正户籍，谓之养赢。"他的盐业政策见《海王篇》，说："十口之家，十人食盐；百口之家，百人食盐。终月大男食盐五升少半，大女食盐三升少半，吾子食盐二升少半。万乘之国，人数开口千万，禺策之商，日二百万，十日二千万，一月六千万，万乘之国正九百万也，月人三十钱之籍，为钱三千万也。"这是对国内计口计盐税之法。《轻重甲篇》中说："齐有渠展之盐，请君伐菹薪，煮沸水为盐，正而积之，十月始正，至于正月，成盐三万六千钟。令北海之众，无得聚庸而煮盐。若此，则盐必坐长十倍，以令粜之梁、赵、宋、魏、濮阳，彼尽馈食之国，无盐则肿。守圉之国，用盐独甚。"桓公用盐策，得黄金千余斤。这就是煮盐外销所得的盈利。他的铁业政策，是鼓励人民自营而由国家分其盈利，《海王篇》中说："今铁官之数日……请以令断山木鼓山铁，是可以无籍而用足。管子曰，不可。今发徒隶而作之，则逃亡而不守；发民则下疾怨上；边境有兵，则怀宿怨而不战，未见山铁之利而内败矣。不如与民量其重，计其赢，民得其十，君得其三。有杂之以轻重，守之以高下，则民疾作而为上虏矣。”法家富国必先求自然之利，裨于国者大，损于国者小。汉朝武昭之世，因为国用大增，曾为盐铁之利有十余万言的争辩，结果还是实行。

法家的财政思想，可谓侧重公产收入，专利事业的财政思想，后代部分采用，如西汉以后擅盐、茶专卖之利。但中国封建财政与西欧殊异，西欧封建财政，注重公产收入，租税起初是不经常的，不过拿来补助临时经费的不足，以租税为主要收入，是接近封建社会崩溃时资产阶级的思想。在中国却主要靠租税，而租税中又以田赋为主要，临时补救财政不足的手段，亦常常在田赋上加以附加。乾隆十八年（一七五三）的税收中，取于土地的租税犹占五分之四。[1]公产收入在中国财政上反而不占什么地位。

关于中国古代财政记载，重要的文献有下列几种：

---

[1] 土地税 { 地丁 2949 万两、漕粮 461 万两、兵粮 356 万两
合计：3766 万两 }

非土地税 { 盐课 530 万两、关税 373 万两
合计：903 万两 }

（一）汉司马迁《史记》有《平准书》及《货殖列传》;（二）汉班固《汉书》有《食货志》、《货殖传》;（三）唐杜佑《通典》列《食货》十二卷;（四）宋郑樵《通志》有《食货》;（五）元马端临《文献通考》有《食货》二十七卷；首列田赋诸考，诸考中特列国用考，其注意财用，尤为前人所未见。明清以来，增纂之结果，成为九通。不过这些文献，都不过是史实的详述，并非专家之言。此外，如记载出纳者，有（六）唐李吉甫《元种国计簿》;（七）宋苏子由《元祐会计簿》;（八）明张学颜《万历会计录》十三卷；（九）汪琼《大明会计录类要》十二卷，但这四书已散佚无存，无可查考。（十）到清代，清季的《户部则例》，但自同治十二年后未经修订；（十一）《东华录》对于雍正十三年以前的岁出入，备列每年之末；而乾隆以后，仅记民数谷数，此外均略而不书。（十二）《大清会》典屡次增订，历朝出纳，莫不详备，可惜只到光绪己亥年，而且外销各款无可查稽。至于（十三）王庆云的《熙朝政纪》，对道光末年财政，记载特详。（十四）陈康祺《郎潜纪闻》的度支考，对同治一朝，有所辑述。（十五）刘岳云的《光绪会计年表》，自光绪十一年至二十年的岁出入均有记载，其后缺。（十六）清末设财政清理局，对于各省财政沿革利弊，编订“说明书”，共二十册，可称为集财政文献之大成。

第七节　我国财政著述与财政资料评述

鸦片战争以后，资本主义国家的商品和大炮打破了中国闭关自守的万里长城，使中国经济发生了剧烈的变化，开始向半殖民地的途径迈进。另一方面，中国民族工业，也开始其微弱的发展。因为历次对外战争的失败，和帝国主义压迫的加强，激起了民族的觉醒，于是从清末变法图强的改良主义的运动起，通过了辛亥革命，“五四”运动，一九二五——二七年革命，抗日战争，中国民族解放运动一贯前进，使财政思想发展的客观条件和以前大大不同。西欧学术思想的输入，也是从变法图强以后开始的。财政思想，在这样环境下，本来应该有新的创造。但是由于资产阶级本身的软弱，他的买办性，以及封建顽固势力的强大的存在，资本主义既然不能顺利发展，资产阶级民主政治迟迟不能实现，反映在学术思想上的，同时也反映在财政思想上的，只是落后与庸浅，很久不能脱离翻译与贩售外国教科书的阶段。直到“九·一八”事变以后，学者们为严重的现实问题所迫，才除了囫囵吞枣的介绍西洋教科书以外，还注意到中国经济财政本身的研究。近年来对于财政学的研究上的进步，无数专题研究报告的发表，在学术上的价值，是值得注意的。现在将中国近年来财政著作和民国时代财政资料略加介绍如下：

一般财政教科书中，战前出版的比较重要的，有何廉、李锐合著的《财政学》、尹文敬著《财政学》、李权时著《财政学原理》、姚庆三著《财政学原论》，这些都准备作为大学教本用的。何廉的一书，对中国的财政史料与事实相当注意。尹文敬一书，搜集材料也还丰富。尹氏私淑法国财政学者蔡司，书中支出论及公债论中大部分，都是从蔡司巴黎大学讲稿中迻译而来。但本书材料，仍多偏重外国，本国的例证较少。李权时一书，观点保守。以上四书中，唯姚庆三氏的著作略有从新观点解释财政现象的意图，但亦仅有此种倾向而已，理论上并未贯彻。以上各书的理论均拾资产阶级财政理论的唾余。陈启修氏《财政学总论》一书，出版较早，以日人小川乡太郎之《财政总论》为蓝本，材料陈旧，观点保守，但条理还明晰。

在财政史方面，值得推荐的是胡钧著《中国财政史》。这书是胡氏在北京大学教授多年的讲稿。他从中国古籍中有关财政的资料清理出来，加以系统化，取断代形式，自三代至清末，分八大阶段，详今略古，不失为中国财政史研究上有参考价值的著作。

关于近代财政史，有贾士毅《民国财政史》和《民国续财政史》二书。《民国财政史》分上下两卷，材料截至民国六年为止，对于清末财政也略有论述。民初至民国六年的财政，则按各部长任期，就其岁出岁入加以编述。续篇共分七卷：一、总论，二、岁入，三、岁出，四、公债，五、会计，六、货币，七、地方财政。贾氏在北洋政府及国民党反动政府财政部曾历任要职，搜集资料比他人方便，他来编纂民国财政史，自然相宜。本书取材芜杂，选择不精，未加提炼，正如著者例言中所谓："本书以叙而不断为宗旨，间辍数语，以醒眉目。"

其次，有杨汝梅著《民国财政论》。杨氏久司审计，材料精确谅无问题。但该书编制，为论文集性质，非一完整之著述。杨著材料截止于民国十五年。其中虽间以评论，但其目的只为“引起读者兴趣，俾便记忆”而已，实际上只是材料的编列，并且缺乏连贯性。

对于国民党政府的财政状况，杨氏著有《国民政府财政概况论》一书，叙述自国民党政府成立（广东、民国十四年）起至二十二年国家普通总预算之公布为止的财政概况，详近略昔，分导言、中央财政、国债、地方财政四章，取材尚称审慎。

此外，卫挺生《中国今日的财政》，金汝珍《中国财政论》，孙怀仁《中国财政问题》，材料均已成明日黄花，但不妨当财政史读。

租税方面，较重要之著述有胡善恒《赋税论》，是胡氏在中央光华等大学的讲稿，理论与事实并重，惟多为统治阶级说教。萨孟武译《租税总论》，译自日人小川乡太郎，简明浅显，可为入门书。抗战后有粟寄沧氏《中国租税制度及其改革》一书，对抗战后租税问题，讨论甚详。周伯棣氏《租税论》一书，条理尚明晰，吴兆莘著《中国税制史》，亦可一读。至于朱契《中国租税问题》一书，则理论欠完整，材料亦芜杂。

关于公债方面，抗战前出版者有胡善恒《公债论》，民国二十五年出版，材料尚充实，但观点分歧错杂。王宗培之《中国的国内公债》，出版于民国二十二年，站在投资者立场，计算各种债券投资利息，甚为周详。千家驹《中国的内债》一书，取材亦截止于二十二年，纯由国民经济立场出发，对北洋军阀政府及当时南京政府之内债有客观之批判，两书虽已失时效性，但仍可作为研究内债史者的重要参考。尹文敬《中国战时公债》，则对抗战时发行公债叙述颇为详尽。

关于公债史的著作，以专著发表者，有贾士毅《国债与金融》一书，出版于民国二十三年，对国民党政府成立初期我国发行公债的历史叙述甚详，并讨论到与金融的关系。但其编制取材不无可议。较早的著作，有晏才杰氏《公债论》一书，叙述民国初年的公债史；又有徐沧水氏编《国内公债史》，出版于民国十二年，取材至十年为止，均为研究民初公债史者不可不读的书。

关于战时财政问题，抗战八年，虽提供了战时财政以非常丰富的经验与教训，讨论的文章虽然不少，但多系断篇碎锦，未见有皇皇巨著，抗战前夜出版而讨论战时财政的著作，则有尹文敬氏的《非常时期财政论》，分析欧洲第一次大战战费经验，旁征博引，发挥甚详。但以西欧第一次大战之史实为根据，缺乏对中国战时财政之基本认识。后有卫挺生《战时财政》一书，对战时财政的意义及筹措战费方法，亦讨论甚详，这两本书都限于帝国主义的战时财政，未能分析民族解放战争的战时财政，一方面是由于时代的限制（当时抗日战争尚未发生），另一方面则由于作者的保守观点与资产阶级的立场限制了它的发展。

讨论财政问题的专题研究在报刊或用小册（Pamphlet）发表者，其学术价值，往往在整部的著述以上，但因限于篇幅，兹不列举。

刊物方面，在抗战以前，无专门之财政刊物，财政论著多散见于各报章杂志，抗战而后，二十八年一月始有以孔令侃（孔祥熙之子，时孔任财政部长兼行政院长）为背景之《财政评论》月刊之出版，当创刊之初，收买了些可供研究的资料，文字尚能兼收并蓄，但因背景为“孔大少爷”，自然是捧场多于批评，宣扬重于研究，迨自太平洋战争发生，香港沦陷，迁入内地后，初在重庆复刊，胜利后迁到上海，更一味为官方宣传，惟材料方面，尚属丰富，凡治近代中国财政史者可以参考，上海解放后停刊。

财政资料方面，民国以来的财政资料，虽比过去丰富，但因久未实行预决算制度，各种数字均无权威的可靠性。

北洋军阀政府时代与国民党反动政府时代的官方的报告，可以用为研究资料者，略举一二：

一、北洋政府财政整理会的各种报告。财政整理会成立于民国十二年八月，以审核各项无担保的内外债务和研究整理方案为宗旨。它编成报告五类：1. 关于财政全体计划者。2. 关于债务者。3. 关于预算者。4. 关于税收者。5. 关于其他财政问题者，总计三百三十三种，惟多数未印行，已印者仅一百零一种。这些材料在今天看来，俱已成明日黄花，但我们如要研究北洋政府时代的内外债，这却是绝不可少的史料。

二、北洋政府财政部调查处编印各省区历年财政汇览。对于各省区历年财政叙述纂详。已整理发表者为江苏、浙江、福建、京兆、直隶、山东、贵州、广西等省区。这是研究我国民初各省地方财政的沿革的重要材料。

三、北洋政府所公布的各项预算表册，有民国二年度五年度八年度各项岁出岁入预算表，这些预算表自然不能代表当时实际收支情形，但聊胜于无耳。

四、国民党政府财政部长民国十七年度至二十二年度财政报告。此项报告书根据该年度财政实际收支情形，由部长向国民党中央政治会议提出者，曾在国内报纸发表。比较有名无实的预算更富有实际意义。惜自民国二十二年以后，此项报告即不复见。从这些报告书中，我们可以明了国民党反动政府成立后实际收支状况，及其财政上的病态。

五、国民党政府主计处岁计局所编《岁计年鉴》。国民党政府的主计处成立于二十年四月，二十年度以后的国民党政府预算即由该处编制。《岁计年鉴》就二十年、二十一年、二十二年、二十三年各年度（当年七月至翌年六月）岁计材料，不问其为预算、概算、决算，凡在公文上有相当根据可以备后来参考者，一律提要分章编纂，但有关军事部分均视作秘密，节略不宣。这些资料虽为纸面文章，但亦可作为参考。

六、甘末尔设计委员会的各种调查报告。一九二九年国民党政府聘请美帝货币专家甘末尔来华筹划“改革中国币制”。甘氏来华后曾成立各种委员会，该委员会内分货币银行、预算监督及国库监督、国债、铁道、租税政策等股，每股均有报告及建议。但除币制一部分曾公开报告外，其他均未发表。

七、国民党政府财政部财政年鉴编纂委员会编纂的《财政年鉴》。民国二十四年九月出版，材料截至二十三年底为止。以中国财政概况为首，以世界财政概况为殿。全书分十五篇，内列：1. 财政概况；2. 财务行政；3. 会计；4. 关税；5. 盐税；6. 统税；7. 印花税；8. 烟酒费税及牌照税；9. 其他税费；10. 官产官业；11. 国税；12. 金融；13. 地方财政；14. 二十二年度财政大事记；15. 世界财政概况。

八、国民党政府所召开的历次全国财政会议汇编。根据抗战前于南京召集的两次全国财政会议（十七年五月和二十三年五月）和抗战后第三次全国财政会议（三十年六月）的材料，国民党政府财政部将每届会议召集经过审查报告及原提案与决议案等等汇成专册，可供近代财政研究者参考。

九、国民党政府主计处所发表的二十年度至二十六年度历年预算概算书。

除上列各书外，其余如国民党政府的关务署、盐务署、烟酒税处、财部公债司、直接税署所出版的关于关务、盐务、统税、烟酒税、公债、直接税等资料，汗牛充栋，不遑枚举。其中以直接税月报讨论税务，尚多可读之作。

抗战时期，我国财政学者续有许多新著问世，不过大多发表于报章刊物，以短篇论著居多。专门著述虽亦时有出版，然以战时参考书籍的缺乏，物质条件的困难，学人生活的艰苦，真正有价值的著述，似乎为数不多。兹略举数种，挂一漏万，自知不免，读者谅之！关于租税方面，有周伯棣著:《租税论》，民国三十三年桂林文化供应社出版；粟寄沧著:《中国租税制度及其改革》，民国三十年广西建设研究会出版。关吉玉著:《中国税制》，民国三十四年重庆财政部经济研究室印行。杨昭智著:《中国所得税》，民国三十六年八月，商务印书馆出版；刘振东王启华著:《中国所得税问题》，中央政治学校研究室印行。高秉坊著:《中国直接税的生长》、《中国直接税史实》，均民国三十二年财政部直接税局经济研究室印行。朱契著:《中国所得税发展史》，民国二十九年商务出版。此外尚有朱契著:《中国战时税制》，民国三十二年财政评论社出版，材料平庸，多为政府捧场，无甚可观。

一般财政书籍，则有李超英著:《比较财政制度》，民国三十二年商务印书馆出版，此书乃根据著者英文著作 *The System of Chinese Public Finance*，A. Comparative Study 一书改编而成，主要的是介绍中国的预算制度，英文原名较为名实相符，中文改名为《比较财政制度》，似不大相称。又有杨寿标著《中国财政统计大纲》，民国三十五年中华书局出版。尹文敬著《中国战时公债》、罗敦伟著《中国战时财政金融政策》，均为财政评论社丛书。

通货与我国财政关系特别密切，故关于通货问题，亦颇值得我们注意，这里我们介绍两本比较重要的著述，一为马寅初著《通货新论》，民国三十三年商务印书馆出版（重庆初版），后于三十五、六年上海再版。

本书主要的是讨论整理通货问题，著者以经济界前辈，论坛宿将，提供意见，自值我们重视。另一本是杨培新的《中国通货膨胀论》，民国三十七年生活书店出版，专讨论中国通货膨胀问题。内容清新可喜。其他关于通货方面的论著甚多，兹不一一列举。

此外，最近出版的，尚有马寅初:《财政学与中国财政问题》一书（出版于一九四八年冬），为商务印书馆大学丛书之一，全书分上下两册，小标题为“理论与现实”，这不是一本普通财政学的书，其编制体裁较为特别。第一篇讲超然主计与联综组织，第二篇为中国税制与赋税体系，第三篇为赋税各论，第四篇为征实与专卖，第五篇为公债，第六篇为地方财政，第七篇为其他问题，第八篇结论。即此可以看出本书主要的是一本讨论财政问题，特别是中国财政问题的书。就理论上说，著者为我国正统派经济学之巨子，本书理论亦纯为正统学派的。本书讨论之主要问题为中国财政问题，著者对国民党之财政立法，经验宏富，故其批评，亦多鞭辟入里，尤以对孔宋财政措施，抨击不遗余力，惟因时过境迁，诚如著者自己所说，不免变成了“打死老虎”云云。

以上所举，均为专门著述，短篇论文，发表于各报章刊物者，兹不具述。但就学术上之价值言，则短篇论著其价值往往驾整本书籍而上之。无论在国外或国内，一篇数千字论文，有时其价值反超过一本数十万言的巨著，不过我们这里所介绍的都是指书籍而言，对于刊物上的财政论述，只有略而不论了。

第二编　公共支出论

第一章　公共支出的意义及分类

第一节　什么是公共支出

公共支出，就是国家为执行公共职务而作的货币支出。资产阶级各派学者，由于其对于国家的本质、国家公共职务的性质的估计不同，因此对于公共支出的本质也有不同的估计。如亚丹·斯密以为国家行为为不生产的，故由国家行动所消费的，均全然归于消费。他说："国家行为虽属必要而又为有用的，但不生产任何物件，如优伶、演说家、音乐家的行为，忽生忽灭，毫无余存。而多数国家，殆以其一切出入，消费于支持不生产的人们之用，即以充官吏、陆海军人、裁判官等的薪俸。此等人，不生产任何一物，故不能不仰给予他人的生产。"（《国富论》第二卷第三章）所以他主张这种消费应该有一个限度，只应限于国民所得的剩余的一部分，不可侵及用以充生产劳动之维持的一部分，然而，他指出，事实上不生产者的消费，过于巨大，蚕食了生产劳动者之维持费的情形着实不少。亚丹·斯密的这种看法，和他的消极国家说有直接的关系。消极国家说既把国家的作用极端限制于社会秩序的威力的和法律的保障，对于国民经济方面，认为国家越少干涉越好，当然视国家公共支出为消费的不生产的，应限制于最可能狭小的范围。与之相对立的学说，是李斯特的生产力说，他主张"法律并国家诸制度，虽非直接地产生价值，但明白地产生生产力。既能产生生产力，则不能不因此消费财货。……故从国家方面言之，无所谓不生产的消费"。所以由李斯特看来，国防费亦是生产的，因为战争可以减少生产力，国防充实可以防止战争或缩短战争。卡尔·第策尔（Karl Dietzel）甚至把国家看作"最大的无形的资本"，生产无形的财，即人民的自由，所以国家公共支出是生产的。这种学说，替国家积极扩展其财政支出范围辩护，代表着资本主义向独占阶段发展的倾向。假如在自由贸易时代，资本家只要求国家职务限于私有财产的保护，那么等独占性质的资本主义日渐发展时候，由于资本自我增殖的意图与社会消费能力的限制之间的矛盾日见增长，国家在经济中的作用增大了。资本家们要求国家代表着整个资产阶级特别是独占资本的利益而扩大其行动范围，国内市场的保护，国外市场的取得，殖民地的分割等等，都成为国家的“生产的”行为了。而这些阶级行为的外表，却披着“全民的、文化的、福利的”的外衣。

我们知道，国家是阶级统治的机关，国家的职务，基本上是维持统治阶级的职务。为维持阶级统治而支出的人力和物力所支出的经费，却借着“公共”二字出现的，表现为全社会的共同的目的的支出，这是现象歪曲着本质。我们的观察公共支出，却不能不从这现象背后，探索出其一定的阶级本质来的。对于公共支出是消费的抑或是生产的，我们也应该从更广的角度上来观察。如果说，阶级统治，在生产力的发展的某一阶段上，是不可避免的事情，是生产力发展的一种形式，因此是必要的东西，那么这个必要性，也正如资产阶级个人奢侈的增长，形成他不断追求更多利润以及扩大生产的刺激之一，这种浪费是不可避免的，因此也是必要的一样。但是这种浪费只是消耗了社会所生产的物质，而并未增加了社会生产的物质，我们不能称它为生产的消费，同样为阶级统治而消耗的物质也不能称为生产的消费。阶级社会，和无阶级的社会对比起来，用于国家统治上的经费，因阶级对抗而消耗的物质，实际是一种滥费。在某一阶段上固然是由于生产力发展低微而造成的不可避免的滥费，但其为滥费则一，因此不能增益社会物质，而只是从人民的物质享受中作了一笔扣除。在这一点上，亚丹·斯密的消费说，还更近于真理。

有人用半世纪来国家在经济职务上的扩充，尤其是国家的直接从事于铁路、航空、银行等等活动来指证国家职务的生产性。并且他们从历史发展上来调和各种不同的经费学说，认为国家的职务从纯武力的法律的范围扩充到文化的福利的范围，经费的性质也从消极的到积极的，从消费的到生产的，似乎表示出国家在独占资本手中，正在进步而不是退步，正在不断地为人民而不是不断地反人民，正在力求增进社会物质生产而不是阻滞着社会物质生产力发展。这是一种欺骗性的反动的理论。

诚然，现代资本主义国家不断地扩大其经济事业，然它是代理资产阶级全体举办的，直接受独占资本所操纵并服务于独占资本，或调和独占资本与国内各阶层的冲突以避免资本主义矛盾的进一步爆发而不可收拾（如罗斯福新政），这些事业是国家资本主义的事业，是资本主义的一种形式。它是生产的，诚然不错；但它的所以成为这个国家的职务，因为统治者国家有此必要，并非因为要完成这社会经济的职务，才有了统治者国家。正如在早期亚细亚社会，皇帝治着巨大的水利工程。皇帝之所以为皇帝，并非因为有这治水工程的必要，在不同的社会阶段上，治水工程是由不同的人担任的，它可由私人资本公司来担任，它可由资本主义国家来担任，却不一定是皇帝；但在那个阶段上，治水却属于皇帝的职务，这是因为皇帝先已是一个统治者，所以水的治理变成他所不可推辞的责任，否则他便统治不下去。现代国家的经济职务，以及文化、福利等等职务，都可以作如此观。虽然它有一部分带有直接的物质生产性质，这并非国家的目的，倒是国家为维持统治而避免不了的条件，它是生产的，但并非为全社会生产，是为资产阶级剥削。尤其值得注意的，在所有国营企业中，最重要的部分是和军需品生产直接间接有关系的。这些生产，就整个统治阶级的利害来说，与其交付给私人资本家，不如直接间接控制于国防部，这样可以使得“社会的福利”即资本主义的统治权更加巩固一些。

“公共支出”的内容，随各时代统治者国家的性质不同而不同，在专制王权时代，代表整个统治阶级的首领如国王、皇帝、皇族之类的“私人”支出，也作为国家公共支出的重要项目；相反，实际上属于国家公共支出的一部分的，如官吏的薪给，却也有部分作为国王的恩赏的形式，作为国王私人支出的一部分而出现；在资产阶级学者的眼光看来，成为公私费用不分的大毛病。十八世纪德国的官房学派，是把私人经济的官产收入与特征收入作为国家的重要收入，而把君主的支出作为国家的支出的。托麦斯孟（Thomas Mun）说：“即使国民贫穷，只要国王富裕，便不能说该国贫穷，因为国王每年的收入，常常为国民的利益而支出。”这种思想，在当时是现实的合理反映，是封建阶级的财政观，并非无理谬说。但是用现代的眼光来看过去的事情，便变成不可了解的了。法国路易十四时代（一六六二）王室经费达一一六〇万利弗，占法国岁出总额百分之三十左右，俄国一六八〇年皇室费为二〇万卢布，占当时国费总额百分之十五强，从现代眼光看，这是多么不合理！然而秦始皇的阿房宫，路易十四的梵尔赛宫，西太后用海军经费来建筑的颐和园，固然是穷奢极侈，何尝不同教堂、寺院、国会大楼一样是统治阶级权力的象征，何尝不是为统治阶级巩固其地位的公共支出？也正如苏联在工农革命胜利以后，建筑了摩天的劳动宫象征着劳动者的权力的胜利一样，过去的统治阶级便要求在宫殿建筑的堂皇富丽上表现出他的权力。现在看来是君主的个人支出，当时是国家公共支出，正如现在看来是国家公共支出，在将来看来，或者从代表着人类的将来的无产者来看，恐怕也并非公共支出。豪华的国家银行建筑物，给资产者子弟专利享受的宫殿式的皇皇学府，钢骨水泥的新式监狱，装备精良的机械化部队和卫队，三四百人的政府管弦乐队，大小官吏安富尊荣的享受，从无产者看来，是公共支出呢，还是资产阶级统治者私人支出呢？这不是很明白的吗？

然而在资产阶级抬头的初期，他们是“勤俭起家”的人，看不惯那些“不生产阶级”的浪费，因为他们自命为“生产阶级”，他们攻击着封建国家财政上的浪费，要把君主的“私人支出”限制起来，把其他财政收入适合于自己的利益来用，因而在保留着君主或皇室的国家，便限制皇室费为宪法支出中一个占比例甚小的固定部分，在废除了君主的国家，大总统作为资产阶级“公仆”的资格，只拿一份额定的“薪水”，谦卑得真像全国人民的一个职员一样，而财政上的支出，也表现为公共职务的支出了。

国家公共支出，就其实体而言，不外乎人力和物力的消耗，或称作劳务与物质的消耗。无论人力和物力，就其取得的方法来说，都有直接征发和交换的两种方法。征发，在货币经济未发达以前是普通的，但自货币经济占统治地位以后，渐渐退居不重要的地位。但是每当战争时期，征发还是很普通的。如兵员的征发、义务服役、义务职或名誉职皆是；物资的征发，如实物租税直接供作国用者是。不过一般而论，政府的取得人力物力供其消耗，都支出货币，用购买劳务及货物的方法供消耗。在国家预算上，一般都是列着货币单位，表示其对各种公共职务的消耗。国家表现为国民经济上一个庞大的购买力，吸收着一国的人力和物资的重要部分，因而在市场上、在国民生产与再生产上，起着重要作用。我们若记得消费对于生产的反作用，便不能忽视财政支出对于国民经济发展上的重要影响。如：大量的军需费用，一方面促进着军需工业及有关部门的发展，一方面吸引着国内资金和物资脱离和平生产而牺牲了满足人民日常需要的工业部门，而且限制着后者的发展。一批官僚仆役阶层的维持，减少了生产部门的劳动力，并扩大了奢侈品的消费，增加了社会内不生产的消费。又如资本主义国家对出口商品的津贴，作为提高国内物价，剥削勤劳人民，维持工业资本家的高额利润，并为出口商品攫取国外市场。伟大工程的建筑，足以吸收一部分失业的劳动者，和缓资本主义内部的矛盾。国家因为它是一个庞大而集中的购买力，在市场上时时可起着操纵的作用。

和私人支出来对比，国家的支出，有两点不同：第一，私人支出是量入为出的，而国家支出却是量出为入的。因为国家财政，不外是达到目的的一种手段。统治者为维持国家的统治，是认为国家职务是非完成不可的，经费的支出是非继续不可的。因而即使在财政最困难的时候，也是尽量从增加收入以弥补支出方面着想，而并非从限制支出方面着想。然而这所谓“量出为入”也是相对的，而且也有一个自然的限度。国家以公共支出为名所加于国民经济的负担如果太大，结果形成生产的萎缩，国家也不免陷于财政的破产。所以量出为入的特征，只容许于国民经济负担能力的限度以内。资本主义国家为镇压其国内不断增强的阶级矛盾以及为帮助民族资产阶级和别国的资产阶级作世界的争霸，无限度地扩张了支出。在统治者看来，处处都是必需的支出，因而应该适应这支出提高收入。但这和国内经济发展是相矛盾的，因为财政支出越多，社会总资本的积累越少，生产力的发展越缓。又因为负担最后落于劳动者身上，形成劳动者消费量的减低，使原来已经陷于矛盾的生产过剩与消费不足更形尖锐化。固然，国家财政上的滥费可以帮助资本家开辟一条消纳剩余生产品的路，但是这条路的开辟，是以更狭窄地限制劳动者消费能力为前提的。量出为入的特征，反映着资本主义财政的要求，但并未解除了它的矛盾。

国家支出与私人支出第二点不同是：国家的支出，以整个统治阶级的利益为着眼，因而顾到统治阶级长期的利益，不兢求眼前的报酬或利润，这是和私人支出不相同的。因为如此，国家支出的方法，有时甚至和一部分统治阶级的直接的局部的利益相冲突。美国的独占资本家集团可以反对罗斯福的新政中的财政政策，因为后者实际上限制了他们的眼前的利润。私人支出，最长期的投资，也不过三数十年，因为一个人的寿命最多不过七八十年。如果太长期的投资，要一二百年才能收回的，个人很少愿意从事。但所谓国家则不同，国家的生命是比较悠久的（虽然不一定永久），统治阶级为了巩固其阶级统治，有时不能不从事一些比较长久的建设事业，即所谓“百年大计”。由于国家支出之某些部门的永久性，以及统治阶级中各集团不断和国家财政支出方法矛盾，表面上得出一个印象，似乎国家真是超乎私人利害之上而支出公共经费的，专事欺骗的资产阶级学者，更得到掩护财政的阶级性的一种论据了。

第二节　公共支出的分类

公共支出曾被在各种角度上加以分类。

柏斯脱勃尔氏（C. F. Bastable）从各种公共支出发达的先后来分类：国防费发达最早，其次是司法及治安费，其次是一般行政费，再次为教育费、宗教费、工商业保育费。这种分类法，固然可以表现出国家职务范围的扩大的发展，但对于现代国家支出中各种成分的比重，不能明白表现出来。

尼可尔生（J. S. Nicholson）依据公共支出所获得的收入作标准而分类：主张把公共支出划分四类：一、完全无直接收入，或竟于收入上有直接或间接之损失者，前者如救贫费，后者如军务费；二、虽无直接收入，但于收入上有间接利益者，如教育费；三、公共支出可以发生一部分直接收入者，如司法费有诉讼收入，教育费有学费收入；四、有全部直接收入甚至有剩余者，如公产经营费。这种分类法有两个缺点，第一，公共支出原非以收入为目的，因此也不应以收入为标准；第二，同一费用，一时可以划入这类，一时又可划入那类，并无严格的界限可分。

法国财政家孔恩（Cohn）和美国财政学家卜南（Plehn）提倡另一种分类法，依公共支出给予人民的“利益”为标准，分为三类：一、利益普及于全体者，如国防费普通行政费；二、利益及于一阶层，但因其无力担负费用，应该把这种利益作为及于全体人民者，如救贫费、养老费；三、给予少数人以特殊利益而同时利益复及于全体者，如公营事业费。这种分类法，一方面掩蔽了公共支出的阶级性，即基本上公共支出只是为统治阶级而支出的，所谓利益普及于全体，根本是欺人之谈，例如帝国主义国家为了争夺市场，分割殖民地而支出的国防费，与人民大众究有什么相干？其次所谓“利益”的普遍性特殊性，完全是骗人的说法，并没有真正客观的标准。

以研究公共支出得名的亚当士，主张按国家职务的性质作支出分类：一、保护职务的（Protective Functions）公共支出，如军备费、警察费、司法费；二、商业职务的（Commercial Functions）公共支出，例如公营事业支出；三、发达职务的（Developmental Functions）公共支出，如公共教育费、公共休养费、工厂法施行费、公共调查费等。他这分类，便利于他所假定的定律，他以为保护的支出趋于减缩，发达的支出趋于增加，商业的支出亦将增加。然而他的假定与事实违反，在资本主义国家中，所谓保护职务并不减少而只有增加支出，国防费与警察治安费之日见增加，可为明证。并且所谓“发达的”也不过是为统治阶级的需要，其作用并非和“保护”有显然区别。正如穆勒所云：“维持秩序与促进发达两者之间不能为界。”而所谓商业的职务，在国家手里也并非以谋利为着眼点，近世发展的国家资本经营，大部分着眼于便利战争或资本主义秩序的稳定与发展，所以也无法和其他两类界限分明。

我们与其凭空定什么标准，来划分公共支出，不如就实际支出的特点，作实事求是的分类，帮助分析实际财政现象。

经常支出和非经常支出（Ordinary expenditure and extraordinary expenditure） 经常支出指每个年度必有的项目，是有规则的有反复性的支出，年与年之间没有大变动；如官吏俸给、宪法行政诸费用。非经常支出指临时支出，不一定、不可预知，非每个年度所必有的支出。

有时这种非经常支出数量庞大，反比经常支出为重要，如战费。这两种支出，其所依赖的财源不同，经常支出普通赖经常收入如租税来应付，非经常支出则可募公债应付。但经常支出与非经常支出并无绝然的界限。如救灾费在小地区为非经常支出，因为它是一时的灾害所引起的，在一幅员广阔、人口众多的国家则又是经常的，因为地域既广，灾害的发生就稍具常态，救灾事业变成经常工作，因而其支出也成为经常的了。

生产支出与不生产支出（Productive and Unproductive expenditure） 生产支出指国家对于生产事业的投资，如铁道的建筑、商埠之开辟，其结果使社会获得经济上的物质的利益者；不生产支出指国民生产物的纯粹的消费，如行政费、国务费、司法费等，此种费用一经消耗，决无经济收入之可期者。在生产支出中，又可分为再生产的与不再生产的（Reproductive and non-Reproductive）：再生产的支出，本身可以发生财政上的效果，例如国营事业中铁道邮政水电厂矿，能以利得作为财政收入；不再生产的支出，支出后只有一般社会经济的利益，但不直接给财政以收入，如开辟商埠、兴筑水渠等等。

实际支出与名义支出（Real and nominal expenditure）实际支出是政府真实支出，使人民感有负担的，即实际上的人力物力的消耗；名义支出则除实际支出以外，包括政府各部转账及公营事业用费在内。

中央支出与地方支出 属于中央政府的支出为中央支出，属于地方政府的支出为地方支出。但中央与地方政府权限的划分各国并不一致，每一国家也随时变动，因此支出的归属也时时更动。

最实际的支出分类，则是依支出使用的目的为标准，各国预算分类，大体依照这种分类法：

一、宪法支出关于国权组织的经费，包括皇室或元首费、国会费、年金、公债基金等。

二、国防支出 国内外因防御或侵略的需要所需之经费，包括战费、战争准备费，普通将战费列入临时费，国防支出专指陆、海、空军费。

三、政务支出 内政、外交、司法（包括裁判及监狱）等经费均属之。

四、教育文化支出 教育、文化事业、艺术、宗教等经费均属之。

五、实业建设支出　关于农、工、商业的保护、提倡、奖励和营造物、公共企业的经费均属之。

以上不过就一般而论，各国预算编制上，因各国情形不同，颇有出入，例如帝国主义国家普通列有“殖民费”，而国民党反动政府的预算上则有“党务费”，供反动国民党所谓“以党治国”的用途。

兹录卅六年度中国国民党反动政府财政岁出预算为例（实际支出约超过三倍）。

项　目	数额（单位亿元）	%
一、国防费	38,135	41.0
二、建设费	15,533	16.6
三、复员善后救济费	14,223	15.2
四、政务费[1]	8,765	9.4
五、补助费[2]	6,515	7.1
六、教育文化费	3,421	3.6
七、债务费	2,561	2.7
八、第二预备金及公务员退休及抚恤金	4,045	4.4
总计	93,200	100.0

［1］党务费在内，已不另列，按二十六年度起历年党务支出为：二十六年，七八五万，二十七年，三九九万，二十八年，一〇二二万，二十九年，一七三〇万，卅年四二二六万，卅一年，九二一三万，卅二年，一二三九四万。（《财政评论》XⅣ-Ⅱ）

［2］补助费指中央拨补各省市政府的经费而言。

第二章　公共支出的膨胀及其趋势

第一节　公共支出膨胀的事实

资本主义各国公共支出的数字，无例外地表现出不断膨胀的趋势，引致国民负担的不断加重，这个普遍一致的现象，首先引起财政学者的注意。华格纳曾就此现象作成定律，称为“国家职务增加律”（Law of increase of state activities）。我们且就主要国家财政史上确定这膨胀的事实，而后研讨其原因。

在英国，当资产阶级在政治上获得全胜的时候，即废除谷物条例，自由贸易主义成为无例外的原则的时候，即在一八三三年，中央政府的支出为四千八百七十余万镑。以后不断增大。地方支出且比中央支出增加速度为快。兹列表表示如下：

英国公共支出的增长（单位：千磅）

年度	中央	地方	合计	较上期增 %
1842-43	55,223	13,224	68,447	
1853-54	55,769	15,819	71,588	4.5
1859-60	70,123	17,456	87,697（？）	22.5
（据 Bastable 引 Gladstone：*Budget Speech of 1860 in Finance Statements* 119）				
1879-80	78,788	61,174	139,962	60.0
1889-90	83,613	67,120	150,733	8.0
1889-99	108,150	79,300	187,450	24.5
（据 Bastable：*Public Finance*）				

可见英国财政在过渡到帝国主义时代的前夜，是如何急速地膨胀。帝国主义时代内的几个特征的年度，其国家支出数字如下：（单位：百万镑）

年度	国家支出	较上期增加 %
1900	118	
1914	198	68
1923	813	311
1929	818	
1936	896	8.9
1939	1026	15.6

可见接近第一次世界大战的本世纪初短短十余年间，其增加率相当于上世纪最后四十年的增加率。一

九二三年大致上已走上平时经济，而国家支出，超过战前三倍余。在一九二九年以前，国家支出的增加虽暂时停顿，但世界经济恐慌爆发后，帝国主义间矛盾扩大，国家支出又开始加速膨胀，到第二次世界大战开始时，国家支出已增至第一次世界大战开始时的五倍以上。据瓦尔加氏引英国官方统计，一九四三年英国的全部国家支出和国民收入的对比，如下所示：（单位：百万镑）

国民收入	8,075
国家支出	5,782

（据瓦尔加《战后资本主义经济的变化》摘引 *Statistics Relating to the War Effort of the United Kingdom* Cmd.6564，P.33-34）

即国家支出在国民收入中占百分之七十二！比开战时增加了四倍半！这是多么典型的膨胀。

在法国，当大革命前夜，国家支出只七万万五千万法郎（一七八八），拿破仑战争以后，增至九万万法郎（一八二〇），到世纪末已达四十万万法郎，增加三倍以上，比英国的膨胀速度尤快。兹录其历年变动如下：（单位：百万法郎）

年度	国家支出
1788	755
1801	1,007
1839	1,095
1850	1,473
1869	2,084
1880	2,760
1892	3,343
1896	3,554
1901	4,185（Algerie 除外）

（据尹文敬氏《财政学》第五八页）

第一次世界大战开始时（一九一四）法国国家支出为五一九一百万法郎。嗣后法郎跌价，数字殊难比较。按小川乡太郎将法郎折成日圆之数，则以后数年的膨胀程度，以一九一四年为一〇〇，表示成百分数，当如下列情形：（根据小川氏《财政总论》第六十六页附表）

1914	1915	1916	1917	1918	1919	1920
100	181	258	344	437	332	216

自世界经济恐慌爆发的一九二九年至第二次世界大战开始，法国国家支出以新法郎价值计，自四五三六六百万法郎增至六六五一七百万法郎。十年之间，增加百

分之四十七以上，比同期间英国的增加率（百分之二十五）差不多高出一倍。

再说到美国，在十九世纪，它是一个新兴的资本主义国家，因为没有封建残余阻滞，资本主义的发展比任何国家都来得快，国家支出也跟着急速增长：

美国国家支出的增加（单位：百万美金）

年度	岁出总额
1792	3
1820	18
1840	24
1860	63
1880	264
1900	487
1908-09	865
1924-25	3,267
1928	3,644
1929	3,848

（根据尹文敬著《财政学》第六四页）

这里看到美国国家支出在上世纪最后四十年间增加了几乎七倍，又看到第一次世界大战使美国国家支出跃到一个更高水平，高过战前几乎三倍。在世界经济恐慌以后，到第二次世界大战，中间又增加了一倍。据纽约市银行（New York City Bank）月报一九四一年二月号的统计，在走向战争的这几年中，美国国家支出的情形如下:（单位：百万美金）

1932	4,535
1933	3,864
1934	6,011
1935	7,010
1936	8,666
1937	8,177
1938	7,239
1939	8,707
1940	8,998
1941	13,202

（根据 *Monthly Bulletin of the New York City Bank*，Feb.1941）

一九四一年的财政，虽然一半是在珍珠港事变以前过去的，但已经是十足的战时财政了。在第二次世界大战中，美国国家支出数字，尤其突进。这里虽然还找不到同前列数字可以直接相比的资料，但从瓦尔加《战后世界资本主义经济的变化》所引美国官方统计，却可以给我们一个概念：

年度（自六月起）	生产价值	国家支出		国民消费	积累
		战争的	非战争的		
1941	120.5	13.3	13.2	74.6	19.4
1942	151.5	49.5	12.4	81.9	7.7
1943	187.8	82.5	12.3	90.9	2.1
1944	198.7	86.3	13.0	97.6	1.8

（根据 Department of Commerce：*Survey of Current Business* 2，1945）

这里可以见到，一九四四年的国家支出，吞没了美国全年生产价值半数以上。美国一九四六年九月号的《财政公报》，称一九四五年度的国家支出是一〇〇三九七〇〇〇〇〇〇美金。就是说，即使同参加战争的第一年来相比，这年的支出已经增加了六倍半以上，这是何等急剧的发展！

德国的成立为统一国家，是在普法战争以后（一八七一年），因为是联邦制度，所以除了外交、邮电、海陆、军费以外，都列入各邦预算。但仅就联邦政府的支出来看，其膨胀已足惊人。在第一次世界大战以前的膨胀情形有如下表：（单位：百万马克）

年度	国家支出
1874	672
1891—92	1,245
1902—03	2,614 ★
1913	3,420

（根据尹文敬著《财政学》，★为帕斯脱勃尔数字）

在四十年中，国家支出狂增五倍余。第一次欧战时期，马克大跌，财政混乱，支出几何，甚难计算。迨一九二四年道威斯计划成立，德国恢复金本位制，设立连顿马克，财政始有线索可寻。计是年共支出九二八九百万马克，一九二六年约支出七十五万万金马克，一九二七年为一百十一万万金马克，一九二九年预算支出为一百十万万金马克，一九三二年为八十二万万金马克。国社党执政以后，大量扩充军备，将财政完全放在备战状态，支出突增，至一九三八年已增至一百八十八万万金马克，战争期间，更搜刮一切财富，作孤注一掷。据国家统计局的报告，战时几年德国中央政府的支出有如下表：（单位：十亿马克）

1938	1939	1940	1941	1942	1943	1944
18.8	52.0	77.0	101.0	128.0	153.0	176.0

（根据 *Statistische Reichsamt*，August，1945）

六年之隔，激增八倍以上，当然已经达到竭泽而渔的程度，假如不靠征服各国掠夺及秘密借款（据林和姆氏估计达二千五百三十五亿马克），德国财政，不待战争结束早就破产了。

日本财政支出膨胀的情形，和其他资本主义国家一样。明治元年（一八六七），不过二千万日圆。到甲午之役，增至八千万以上，日俄战争时增至四万万以上，第一次世界大战开始时，增至六万四千八百万元。日本帝国主义靠战争起家，而每经一次战争也就扩大一次国家支出。小川氏曾在其《财政学总论》中列有详表，兹摘录如下:（单位：百万日圆）

年度	国家支出	（附注）
1867	20.1	明治元年
1890	82.1	甲午之役
1900	292.8	庚子之役
1905	420.7	日俄战争
1914	648.4	世界大战开始
1922	1,501.5	华盛顿会议

一九三一年起，日本侵占我东北，日本财政已变成备战财政。一九三七年中日战争正式爆发，一九四一年

日本又发动太平洋战争，自一九三七年起日本已由平时财政步入战时财政，其支出之膨胀，更不在话下。兹录一九三二年后至日本投降前夜之岁出数字如后：[1]

年份	岁出（单位：千日圆）
1932-33	2,012,166
1933-34	2,309,415
1939-40	3,364,000
1940-41	12,205,000[2]
1941-42	12,874,000[3]
1942-43	8,698,000[4]
1943-44	13,275,000[5]

从上表中我们可以看出日本财政支出之膨胀，较英、美各国尤为惊人，自明治元年（一八六七）到日俄战争（一九〇五）增加了二十一倍，到第一次大战爆发（一九一四）增加了三十二倍。到了“九·一八”事

[1] 本表1939-43年数字均为概算数，据一九四七年《政治家年鉴》（*Statesman's Year-Book* 1947）1042页载。

[2] 1941-42，及1942-43年之支出，各包括军事特别费4,880,000千日圆在内。

[3] 1941-42年尚有补充预算3,463,000千日圆，1942-43年补充预算18,799,000千日圆未包括在内。

[4] 1941-42年尚有补充预算3,463,000千日圆，1942-43年补充预算18,799,000千日圆未包括在内。

[5] 特别军事支出27,000,000千日圆未包括在内。

变之次年，增为一百倍，太平洋战争的一年（一九四一——四二）再增为六百倍。

或者有人说，英、美、德、法、日这些国家，都是帝国主义国家，尔诈我虞，战争迭见，因此国家支出年有增加，而欧洲中部中立的小国，或者情形不同罢。事实不然，就瑞士这个永久中立的小国来看，它虽始终超然于战争以外，而公共支出亦是增加着的。一八五〇年时，瑞士联邦政府的岁出总额，不过六百七十万法郎，但在一九〇〇年便增至一万二百七十万法郎，一九二八年增至四万万法郎，在八十多年中，增加了七十倍以上。近年以来，增长更速，兹录最近六年之岁出数字如后：[1]

年份	岁出（单位：法郎）
1941	458,397,153
1942	463,186,557
1943	507,952,302
1944	530,530,476
1945	547,900,000
1946	685,800,000

即此可知中立和平之小国如瑞士，其岁出增加，虽不若日本之速，但一九四六年较一九〇〇年已增加五倍

[1] 根据 *Statesman's Year Book*，P.1245，其中 1946 年为概算数。

半，较一八五〇年则增加了一百倍以上。在不到一百年之内，增加了约莫一百倍。

以上所举的种种例证，都说明了一个事实：即世界各资本主义国家的公共支出，无论是以“自由主义”相标榜，而为独占资本所垄断的英美；实行法西斯独裁的德、日，号称永久和平、中立的瑞士，无不是在逐年膨胀之中。膨胀是资本主义国家共通的趋势。华格纳因此得到结论说：

> 把不同的国家和时代比较一下，在我们作为问题的进步的国家，中央及地方政府的活动，原则上是增大的，这种增大的方向，既是外延的，又是内含的。即中央及地方政府，一方面进行新的任务，同时又扩大旧有的任务。这样，国民的经济要求便更广泛而又更圆满地由中央及地方政府来满足。中央及地方政府的政治上的经费增加之统计，是最有力地表示这件事的。（华格纳：《政治经济学原理》）

华格纳这种说法是仅就国家经费膨胀现象形态所得到的肤浅结论。我们如果深入一层去考察，便知道资本主义国家经费的膨胀是适应如下的事实：即社会的产业组织，因现代交通事业（铁路、航运、邮电）之发达而渐次带了国际的性质，各种产业部门之走向独占形态，由于这种产业组织的变化，使那经济的生产力不断发展，那增大了的生产力，便要求与它相适应的生产诸关系即国内的秩序与对外市场的维持，由此促进国家政策的军国主义化，如果把财政膨胀的倾向与社会的基础对照起来看，那就不能不认为国家是在渐次组织化的社会的生产组织内成为强大的权力机关。后面我们在说明经费膨胀的因素时更加可以明白看出膨胀主要地是由于军务费、债务费、社会政策行政费的增加，这些都与帝国主义的争夺世界市场，分割殖民地以及缓和国内阶级矛盾不可分的。

第二节　我国公共支出的膨胀

我国历代财政收支都无准确的记载。清代有零星资料可以考查。顺治初年（一六四四）的岁入略为一千四百万两，支出稍有超过，但为数亦微。顺治七年（一六五〇）礼部给事中刘谟余上疏中说："银粮每年岁入数一千四百八十五万九千两，出数一千五百七十三万四千余两，不敷银八十一万五千余两。"可知当年国家岁出，不过一千五六百万两。到康熙末年（一七二二）便增至三千万两，但粮草及各项本色的支出不计在内（见《文献通考》）。雍正间(一七二三——三五)增至四千万两。乾隆、嘉庆、道光三朝，据胡钧《中国财政史》载，乾隆五十六年（一七一九）岁出银三千一百七十七万两，嘉庆十七年（一八一二）三千五百十万两，道光二十二年(一八四二)经常及临时费共计四千四百四十余万两。从开朝起至道光末年，共二百年间，约增加了两倍，还不算大。因为社会经济停滞在封建经济上，国家费用比较不大。但道光一朝，已现出财政的窘态，所以用捐监来补充财政，据研究，道光三十年间，捐监收入达三千三百九十万两之巨，[1]太平天国革命，在清代财政上划了一个时期。

[1] 汤象龙著《道光朝捐监之统计》(《社会科学杂志》二卷四期)。

太平天国起兵金田村是在道光二十九年（一八四九），绵延十余年，震动十余省，南京的陷落是在同治三年（一八六四），这中间夹着一个咸丰朝。清朝政府为镇压革命，国用兵饷，日不暇给。复值英法联军之役（一八五八），咸丰出遁热河（一八六〇），赔款达一千八百万两。所以在咸丰年间，财政从未循常规，不过现今因档案遗失，无所查考。同治八年，仅厘金一项的收入，就有八百七十万两，这是用以补旧税收的不足的。同治十三年（一八七四）收入达七千万两，支出尚不止此数。光绪一朝，事变越亟，中央收支之数，初年不过八千万两，中叶增至一万万两，末年又增至二万万两。宣统元年为二万六千九百万两，宣统二年（一九一〇）为三万八千一百三十六万两，比较光绪初年，在四十年间增加几至五倍，较之顺治年间，则增加已十五倍。这是清朝财政支出膨胀的情形。

民国成立以后，岁出日增，国用益竭，财政紊乱，岁出入均无可据数字。民国二年的预算案，岁出突增为六万四千二百二十三万元，三年度的预算案，岁出又缩为三万五千七百零二万元（据经济调查处估计，为四万零五百万元），预算同于具文，数字亦开玩笑，本不值得重视。五年度之预算岁出为四万七千一百余万元，八年度预算岁出为四万九千五百七十六万元，民国十四年度岁出，据财政整理会编订国家预算表内所列为六万三千四百三十六万元。北洋政府时代的岁出数字，可考者如此。但这些数字与实际收支相差甚大，因为当时中国四分五裂，北洋军阀政府政令不出都门，国家既无统一收入，也无统一支出，预算云云只是官样文章而已。

国民党反动政府成立之后，各年因军阀内战和镇压人民革命运动，财政支出，逐年增加：

年份	岁出预算数（单位：百万元）
1929	593.9
1930	706.2
1931	893.3
1932	788.3
1933	828.9
1934	918.1
1935	957.1
1936	990.6
1937	1,000.6

抗战期内，由于通货膨胀，收支数字急速膨大，但因币值下跌，过于剧烈，仅从数字表面上加以比较，实

毫无意义。且国民党反动政府所公布之预算，亦因通货膨胀，物价动荡之故，实际支出每较年初预算增加三四倍以上以至五六倍，例如以三十六年度来说，预算数为九万三千二百亿元，实际支出则为六十万亿元，但如把伪法币之贬值的因素计算进去，（表现在物价上）却非但不是增加反而是减少。所以仅从表面数字上看，我们来判断战后国民党中国公共支出之膨胀率，是很容易陷于不正确的。

但如果我们将抗战以前的国民党政府支出按照重要部类加以分析，则得出下表的特征：

年度	军务费	债务费	合计	政务费	党务费
1928	48.23	36.82	85.05	7.53	0.92
1929	45.53	37.15	82.68	9.54	0.85
1930	43.61	40.52	84.13	8.39	0.70
1931	44.47	39.50	83.97	8.25	0.37
1932	47.72	31.26	78.98	11.60	0.70
1933	44.99	29.47	74.46	10.72	0.67
1934	36.26	28.05	64.31	34.25	0.62
1935	33.53	28.71	62.24	36.32	0.61
1936	40.98	23.17	64.15	35.33	0.52

军务费和债务费，即在抗战以前，也占岁出总额三分之二到六分之五的高度。这是与国民党政权的反动性

与买办性密切相关的。

抗战后国民党政府的财政预算项目，虽与实际大有出入，但各种费用所占之比例，大体可见。自二十五年度（抗战前一年）起预算中即列入一大笔建设事业专款，其实这笔款主要用于军事方面，而党务费在后几年中，实包含于政务费之内，名之为“政权行使支出”，除此以外，又将党务训练经费划入教育费内，特务机关经费划入军事费及政务费内，已无法独立表现。所以这时期仅可就国防支出、建设支出、债务支出、政务支出四大门类观其比例：

年度	国防支出	建设支出	债务支出	政务支出
1937	27.77	33.75	23.37	15.11
1938	24.81	39.95	25.42	9.82
1939	24.92	34.25	27.93	12.90
1940	48.08	29.45	12.82	9.65
1941	54.07	28.07	8.35	9.51
1942	44.22	32.57	7.91	15.30
1943	47.78	26.96	9.65	15.61

债务支出的减少，主要的由于伪法币贬值后，旧债仍按一比一之比例偿还，这无异于减债。我们若把国防支出与建设支出合并，可表示国民党战时财政的真相。

但国民党的“国防支出”，并非用之于抗日，而主要的是用来镇压人民革命武力，这是我们所不可不知的。

总之，过去北洋军阀和国民党反动派统治下的中国是一个有财无政的国家，所谓“预算”，不过是供装饰之用的点缀品，所以根据“预算”来考察中国财政的收支，往往有“尽信统计，不如无统计”之感。但无论如何，过去中国公共支出之日趋膨胀，却是一个事实。不过中国本是一个半封建半殖民地的社会，生产力仍停滞于半封建的农业社会与半殖民地的工业水准上，故公共经费膨胀的速率，远不及西欧各国。这一点却也是我们所应该认识的。

第三节　各国公共支出比较之困难

世界各国公共支出，虽同样表示出膨胀趋势，但我们如欲将各国支出增加的速率彼此比较，固有困难，将一国各时期相互比较时，亦有困难。意大利财政学家尼蒂（F. S. Nitti）对此曾详细分析，指出在进行比较时应注意：一、各国支出的实物支出与劳务支出的数量；二、领土的广狭；三、人口的多寡；四、人民财富的数额；五、货币价值的差异。要对这五点先有充分考虑，才能比较各时代的岁出统计而得出正确的判断。尼蒂氏在其所著《财政学》上，曾专章讨论此问题，而归结为如下几点：

一、须计算方法相同者始能相比。财政上的计算方法，各地各时代均有不同。例如，较早的预算，征收费用不列在内，故其数额较小，近时预算，将征收费用计算在内，故其数额较大。估计预算额浑括而欠确实，实支预算额精详但又琐碎，如果把两者比较，自然错误。又如，近时各国预算，将国营事业和特别支出往往实行特别会计，不加入总预算中，于是总预算额支出必少，但有些国家实行统一会计，于是总预算支出必多。如直接把总预算互相比较，则差之毫厘，谬以千里。

二、须环境相同者始能相比。一国支出的多少，常随其自然环境与社会环境而有不同。所谓自然环境者，如英国是岛国，其海军费支出多；德国俄国是大陆国，陆军费支出多。意大利土质劣，开发改良费用多，北美土地肥，经营开辟的费用少。寒带国家军服费多，热带国家军服费少。至于社会的及人为的原因，关系更为重要。邻国的强弱，领土的广狭，中央集权与地方分权的差别，国民经济发展的高低，文化、教育、社会事业的发达与否，都和国家支出有直接关系。将环境不同的国家互相比较，难得其平。

三、须一致与同性质者始能相比。即使各国支出的计算方法相同，所处环境亦相等，还不一定可以直接相比，因为还可以有性质的不同。例如以前普鲁士的预算，单就征收费一项而论，已列数千万马克，这是因为它把有关森林、矿山、水利、交通、官产的管理费，一律包括在征收费以内，若用来和英、法、意等国相比较，就不可能。又如法国预算中，从前把殖民地支出亦包括在内，现在则把殖民地预算另列，前后预算在范围上性质上皆不相同，便难于直接比较。

因此种种，尼蒂以为要比较各国支出甚难。各国预算所包括项目与分类不同，总括预算与特别会计的采用不一致，会计年度起讫时间不一致，各国环境不一致，各国政权政体组织不同，此外还有由于专制独裁国家财政往往不完全公开，内容无法详知，皆使各国预算彼此比较时发生困难。

第四节　公共支出膨胀原因的分析

公共支出的增加，是现代资本主义国家共同的趋势。这一方面表示社会生产力的提高，另一方面，表现出资本主义国家活动范围的扩大。财政学者往往把引起支出膨胀的原因，不分主要、次要并列齐举。例如为扩充军备而举债，举债的结果，债务费增加，这是扩军的后果；虽然后来债务费往往成为赤字财政的主要原因，但军费支出的膨胀与债务支出的膨胀，毕竟有主从之分。又如货币价值跌落而引起国家支出之增加，是名义的，和由于统治机构职务增加而引起的支出之膨胀，是不同的，后者是实质的增加。再如人口的增加，亦和国家支出的增加同时发生，两者间有密切关系，但不能因此结论说国家支出的增加，是由于它提供给增大了的人口以增大了的利益。我们稍为注意一下实际情况，便知道最大多数人口并未受国家支出的好处，相反，却增加了人民的负担。现在我们将国家支出膨胀的主要原因加以分析。

一、军费的增加

帝国主义时代，由于资本主义发展的不平衡性，各国为争夺原料市场资本市场商品市场计，不得不致力于殖民地的分割和再分割，经常发生战争和准备着战争。军费的增加成为现代各国支出膨胀的最主要的因素。当然，自从有国家，就有战争，然而帝国主义时代的战争，却和过去战争不同。第一个不同点：是它的空前的惨酷性与破坏性，它运用着现代武器，其规模之大，消耗之巨，史所空前。第二个不同点：是它的世界性，因为帝国主义时代，整个世界政治经济已打成一片，真正的中立国家是没有的，中立国家即使站在战争圈外，也不得不作战争准备。第三个不同点，现代战争是所谓科学化、立体化的战争，攻守武器都发展到机械化的基础上，飞机、大炮、坦克、无线电、化学兵器，精致的物理仪器（如雷达），现代化的运输工具，潜艇，高度爆炸物，甚至原子武器，都建立在最新式的冶金工业、机械工业、化学工业以及其他重工业基础之上的，这使得国家在平时就要建立国防工业基础，培养专门人材；更由于新武器的使用，需要许多前所未见的兵种，如航空员、无线电通讯员、辎重兵、工兵、炮兵、防空部队、化学兵等等，和这些新兵种齐来的，是培养这些新兵种的人和物的条件。所以现代的战争变成一种对于社会生产力非常浪费的战争，国家财政几乎吸收了国民收入额的半数，用其大部分于战争。我们且看看瓦尔加氏对于第二次世界大战中人力、物力的消耗，和其对于各国财政上所起的影响的估计：

	第一次世界大战 1914-18	第二次世界大战 1939-45
宣战国家	36 国	61 国
交战国人民	8 万万	20 万万
作战军队人数	3600 万	11000 万
死亡人数	1 千万	5 千万
作战地区	14 个国	40 个国
战费	2 千亿美元	1 万亿美元以上

以英国为例，第二次大战期间，军费占国民收入的百分比如下：

年份	1938 年	1941 年	1944 年
国民收入	100	100	100
军费	8	53	53
国民消费	87	62	57
积累	5	——	——
国民财富减少	——	15	10

这里表示，在战争的年份内，军费膨胀到超过了国

民收入二分之一以上，以致国民财富发生实质的减少。美国情形，大致相似，全国生产价值，在战争期内虽不断增高，从一九四一年的一千二百万万美元，增至一千九百八十七万万美元，但军费支出，占比例甚大，兹以百分数表示之：

会计年度	1941年	1942年	1943年	1944年
生产价值	100.0	100.0	100.0	100.0
国家军费支出	11.1	32.7	44.0	43.4
国家其他支出	10.9	8.4	6.5	6.5
国民消费	61.8	54.4	48.3	49.1
积累	16.1	5.2	1.2	1.0

德国的军务费支出，在战争过程中，与年俱加，在国家总支出中，其百分比亦逐渐提高，达百分之八十。兹列表如下（单位：十亿马克）

年份	1939年	1940年	1941年	1942年	1943年	1944年
战费支出	20.0	54.0	76.0	110.0	123.0	140.0
占总支出百分比	38.4	70.0	75.0	79.0	80.5	79.5

最后一年德国战费支出为一四〇〇亿马克，合美金五六〇亿，平均每人担负战费约为一点七五〇马克，这已超过人民负担的能力。

若以为这是战争期间，军费的膨胀在所难免，则再看下表所列，知道在所谓和平年份，军费膨胀的趋势亦甚明白：[1]

年份	军费支出（单位：百万美金）				
	英	法	德	意	苏
1932—33	426	509	353	271	282
1933—34	455	679	299	240	309
1934—35	481	583	381	264	1,000
1935—36	596	624	2,600	778	1,640
1936—37	847	834	3,600	916	4,002
1937—38	1,263	909	4,000	573	5,026
1938—39	1,693	1,092	4,400	526	5,400
1939—40	3,085	1,659	16,000	1,106	20,500

从上表可以看到各国在平时已耗费大量财政开支于军事方面。

二、债务费的增加

债务费的增加，是促使近世各国公共支出膨胀的又一重要因素。不过债费的增加大半是由于军费支出及战争的结果。因为战争发生，战费庞大，普通收入不足以

[1] 上表自 1932-33 年度至 1938-39 年度止乃根据美国外交协会 Stine 氏在 *Foreign Poliecy* Vol. XⅣ No.4 发表之数字，其中 1938-39 年乃估计，1939-40 年乃根据最近各国财政报告，但德国数字系估计。至货币单位，依各国 1936 年对美汇率折算而成。

应付，惟有举债才可挹注。战争结束以后，办理善后，亦多赖公债。如第一次大战时，各国战费之取给予公债者，有如下表：

国别	公债占战费百分比
美国	76.0
英国	84.4
法国	87.2
意国	94.4
俄国	66.5
德国	84.2
奥国	91.9

第二次大战时期，德国负债现额总计，除秘密借款外，从一九三九年三月三十一日的三〇点九百万马克增至一九四四年四月三十一日的三八一点一百万马克，截至战事结束时止，应付利息达一四点四百万马克，约占一九四四年德国中央政府租税净收入的百分之四十，而这笔巨额负担，其利率仅为百分之三。仅就长期中期短期的内债而言，逐年增长之势可见于下表:（单位：百万马克）

1939 年	1940 年	1941 年	1942 年	1943 年	1944 年	1945 年
3 月	3 月	3 月	3 月	3 月	3 月	3 月
30.7	47.9	85.9	37.6	195.6	273.4	379.3

专家估计秘密借款二千万马克尚不在内。[1]

第二次大战期间，美国募债计七次，债额如下：

	年份	（单位：十亿美元） 募债总额
第一次	1942	12.9
第二次	1943	18.6
第三次	1943	22.1
第四次	1944	17.6
第五次	1944	22.0
第六次	1944	23.4
第七次	1945	28.7
合计		155.3[2]

由公债所有权方面估计，直接及保证有息之公债，其各时期之数额如下：（单位：十亿美元）

1941 12 月	1942 6 月	1942 12 月	1943 6 月	1943 12 月	1944 6 月	1944 12 月	1945 4 月
40.1	47.8	64.3	80.0	97.3	117.7	133.8	136.2

材料来源：*Treasury Bulletin* 各期。

如与一九四四年国家支出总额一〇一点三（十亿

[1] 材料据 *Statistisches Reichsamt*。但据 1946 年 1 月 28 日《纽约时报》估计战事结束时德国负债当达 675 百万马克至 800 百万马克之间，第一次欧战结束时德国中央政府内债约 146 百万马克。

[2] 材料 *Treasury Bulletin* 各期。

元）对照，可见公债额之高度，及其加于财政之负担。

因战争及备战而累积债额，由债额累积而增重国家支出的负担，驯至国家支出膨胀，赤字财政增巨，又不得不举债以弥补之，这是资本主义国家财政发展的规律。

三、币值的跌落

当货币价值跌落时，如果国家所支出的物资及劳务不随之紧缩，财政开支必然表现为膨胀，但这种膨胀，并非实质的，如果照货币旧价值计算，则此种膨胀，可以消除。故财政学者多称此种膨胀为假膨胀。

通货膨胀，多发生于战时及战争刚结束之后，故货币贬值，亦以此时为最烈，当第一次欧战结束之时，各国币值之跌落，有如下表：

年份	英国	法国	意大利	德国	美国	日本
1913	100	100	100	100	100	100
1914	100	102	96	106	98	95
1915	127	140	133	142	101	97
1916	160	189	201	153	127	117
1917	206	262	299	179	177	149
1918	227	340	409	217	194	196
1919	242	357	364	415	206	239
1920	295	510	624	1,486	226	260
1921	182	345	577	1,911	147	200

续表

1922	159	327	562	34,182	149	196
1923	159	411	582	765,000	157	192

由此可知，上次世界大战后，各国货币贬值，多者达七千多倍（德国）。少者亦达一倍以上（美国日本）。

至于这一次世界大战之后，世界各国物价无不上涨，惟其程度，则因国别而不同，据联合国所出版世界经济之报告，此种国别，可分四组：1. 战时通货膨胀，较为缓和，因此，战后物价水准相当稳定者，如英国、瑞士，及斯干第诺维亚各国（芬兰除外）是。英联合王国之批发物价为一五〇，丹麦、挪威、瑞典为一七五，瑞士为二〇〇（一九三七年等于一〇〇）。2. 欧洲大多数国家，战后物价仍在继续上涨之中，当一九四七年中，物价水准已较初胜利时上涨几达一倍。有则因改革币制之故，物价水准重新建立，例如波兰，新币仅值战前币值八十分之一。捷克与荷兰当战争初结束时批发物价指数为战前水准之一五〇，战后继续上升，捷克与比利时均涨为战前之三倍，荷兰为二倍半，一九四七年捷克之批发物价较为稳定，而比利时与荷兰则在续涨之中。

3. 为通货膨胀程度甚为严重，而物价之波动亦特别剧烈者（公价与黑市之价格有很大的距离），如意大利一九四六年之中，批发物价为战前之二十六倍，一九四七年七月，已达战前水准之五十八倍，法国当战争刚结束时物价水准仅为战前之三点七倍，但到一九四六年底已增为八点五倍，一九四七年夏更上涨为战前之九倍。4. 为盟军占领下之国家，如罗马尼亚、奥国及德国。罗马尼亚当战事结束时，生活费指数仅为战前之三十八倍，但因战后通货膨胀之恶化，至一九四七年三月已升为一千六百倍。奥国之物价上涨较难估计，因黑市价格素无统计，公价价格，上涨虽较缓和，一九四六年生活费指数较一九四五年仅高三十三倍，但一九四五年八月之黑市价格却较公价高一百倍。至于西部德国因严格采取配给制度，战后物价机构尚未恢复。

自然通货膨胀而使币值低落之最典型的例子是国民党中国，由于国民党的财政破产，滥发钞票，不仅使得全国人民大众遭受到空前的掠夺与剥削，而且也使国民党发行的法币与金圆券变成一文不值。

但如果以为国家无限增发通货以弥补财政赤字所

造成的膨大支出，与国民负担无关，则又为不通的辩护论。因为通货膨胀，无异国家凭空造成购买力以收夺人民的财富。通货膨胀的负担，实为财政负担的一种，加于平民身上，使储蓄者及固定收入者一道丧失其财富及所得。

四、公共事业费的增加

在独占资本时代，国家以资产阶级代表者的资格，直接投资于企业，表面上是为了全民福利，促进社会繁荣。凡铁路的修筑，运河的开凿，邮电的敷设，航空的建设，凡与国计民生有关的产业，经常动用国库，成为财政支出的一项。在国家背后，常常是独占资本家操纵垄断，使一切设施，最有利于自己集团。复由于资本主义内在矛盾的尖锐化，每逢恐慌大量失业期间，辄动用国库，拨大笔基金兴建大规模工程，以吸收失业人口，名为救济，实则以低微工资，加强剥削，一面又暂时缓和阶级矛盾。所以公共事业费用，在国家支出中，日益增重其地位。

以上四项，可说是近世纪来各国岁出膨胀的最主要原因。除此以外，尚有比较次要的原因，如人口增加，支出必巨；文化教育事业，随生产力之发展，亦须大笔款项；帝国主义者经营殖民地之费用，亦落在国家支出之中，凡此皆为支出膨胀之次要因素。

资产阶级学者，往往将社会生产力的发展，作为国家支出增加原因之一，殊不知国家支出的增加，其所以可能，当然由于社会财富的增益。社会生产力发展，是使其可能的一个前提，但不能当做它增大的原因。把前提和原因并列，只有混乱了问题，因为国富的增加并不必然地伴随着国家支出的增加。没有国家的增大的消耗，增大了的需要，即使国民生产进步了，财富并无必要的理由集中到国家之手而由其支出。

国家支出的不断膨胀，是和资本主义本身矛盾有关的。军务费和债务费的累积的增长，表现着资产阶级与人民间的矛盾，各帝国主义者间的矛盾，和帝国主义与殖民地间的矛盾。国家支出的膨胀，表示出资本主义社会中不生产支出的增加，资本主义的腐化与浪费。国家支出在战争中几吞没了国民所得的半数，使社会的资本积累减低，甚至消蚀着原有的资本。国家支出越大，则独占资本所获的利润亦大，独占资本是通过了国家财政在剥削全民。这里，表现着资本主义的国家支出的寄生性和垂死性，它是旧制度妨害社会生产力发展的一例。

第五节　公共支出分配的趋势

公共支出不仅日趋膨胀，同时在分配方面，今日与往者亦大不相同。固然，因为各国岁出分类的方法不同，会计制度相异，中央集权与地方分权制的区别，同一岁出统计，往往内容及意义相差甚远，不便直接相比。例如教育费有的属于中央，有的属于地方，如英国教育费在中央预算中占比例甚小，但教育并非不发达；又例如国营事业费，各国中有的包括用费，有的除去用费，直接相比，亦甚困难。我们现在且举第二次大战前夜的材料稍作研究。因为战时财政，完全为军事费所掩盖，不易表现平时的常轨。

先就英国而言，一九三九——四〇年度预算，在战争未爆发前的一次预算，与前几年的情形相比较，可大致表现平时公共支出分配的趋向。兹列表以明之。（单位：百万英镑）

1929–1940 年度英国国家支出之分配情形

年度	1929-30	1936-37	1937-38	1938-39	1939-40	*1945-46	*1946-47
固定费	377.2	235.6	236.0	244.3	247.2	475.7	577.8
国债利息及手续费	355.0	224.0	224.0	230.0	230.0	455.4	498.8
其他永久经费	22.2	11.6	12.0	14.3	17.2	20.3	79.0
议定费	493.4	594.6	605.0	595.7	695.2	4999.0	3332.4
军事费	13.0	186.1	197.2	254.4			
民事费	480.4	408.5	407.8	441.3	456.1		
普通岁计预算	870.6	830.3	841.0	940.0	942.4	5474.7	3910.3
自给财政平衡额（邮电等）	58.9	71.9	76.1	79.0	83.4	116.7	281.5
合计	929.5	902.2	917.1	1019.0	1025.8	5591.5	4191.8
由公债费来支出	……	……	64.9	128.1	380.0		

* 根据 *The Economist*, April 5, 1947

* 英国财政，分为固定费（Consolidated fund service）及议定费（Supply service）二部分，前者为带有固定性质之经费，每年虽提出议会，但议会并无修改之权，其中包括皇室费、公债本息、年金恩给、若干独立官厅的经费俸给、裁判所经费、外交官俸年金。议定费亦称“自由费”，议会有权自由变更，如各项文官费，租税征收及手续费，海陆空军费等。自给财政平衡额，即 Self balancing，为独立合计之平衡额，以同一数目同时列入岁出岁入的双方。

各年军事费、民事费、国债利息支出在普通岁计中所占百分比如下：

	1929-30	1936-37	1937-38	1938-39	1939-40
军事费	14.9	22.4	23.5	27.0	25.4
民事费	45.0	46.5	48.5	46.9	48.5
国债利息支出	40.3	27.0	26.8	24.6	24.4

法国接近第二次世界大战时之财政支出分配情况，不计国防追加预算在内，则如下表：（单位：百万法郎）

1938、1939 年度法国国家支出之分配情形

	1938-39	1939-40
财政费	23,232	32,919
陆军费	6,617	7,652
海军费	2,122	2,674
空军费	1,481	2,422
教育费	4,081	4,385
外交费	343	456
劳动保健费	3,230	3,675
农业费	493	965
公共事业费	1,679	2,195
殖民地费	840	1,101

上表所谓财政费，实包括债务费在内，在两个年度中，各占总支出百分之四五与四九，军费各占百分之二

〇与一八，此种比例，因法国财政制度中央与地方支出划分之方法与英国不同，难于相比。

我国抗战时期财政支出的分配，情形特殊，当另节专论，至于战前平时财政的分配，兹举二十六年度国民党政府预算为例，并列十九年度以后各年军务费债务费占总支出百分比，以明过去国民党反动政权财政支出的性质：

国民党政府二十六年度岁出总预算

类别	数额	百分比
党务费	7,311,440	0.73
国务费	17,962,546	1.79
军务费	392,499,952	39.22
内务费	6,188,932	0.62
外交费	9,435,816	0.94
财务费	69,232,090	6.92
教育文化费	42,934,368	4.29
司法费	4,315,849	0.43
实业费	3,072,312	0.31
交通费	5,056,595	0.51
蒙藏费	2,500,362	0.25
补助费	31,015,076	3.10
抚恤费	6,678,497	0.67
债务费	324,693,754	32.45
建设事业专款基金	70,000,000	7.00
救灾准备金	3,000,000	0.30

这就是说国民党政府战前财政的支出，以军务费及债务费两者为最多，即军务费占总支出百分之三九点二二，债务费占百分之三二点四五，两者合计占百分之七一点六七。这种情形，当然也不止二十六年度为然，自国民党反动政府执政以来，历年皆然，兹列十九年后的岁出数字为证:（单位：百万元）

年度	19	20	21	22	23	24	25	26
支出总额	714	683	645	769	918	957	999	1,000
军务费								
数额	312	304	321	373	332	321	322	392
占总支出的百分比	43.6	44.5	49.7	48.5	36.2	33.5	32.5	39.2
债务费								
数额	290	270	210	244	257	274	239	324
占总支出的百分比	40.5	38.5	32.6	31.8	28.0	28.7	24.1	32.4
军债两费合计								
数额	602	574	531	617	589	595	532	716
占总支出的百分比	84.1	84.0	82.3	80.3	64.2	62.2	56.6	71.6

由此可知历年以来军债两费均占国民党政府平时财政支出百分之六七十以上，债务费亦在军事支出膨胀下，累积起来。这种情况，和各国表面上似属相仿，惟中国的军事费，非属于国防费的性质，国民党政府的军事费，却多半用之于军阀混战及镇压人民革命运动之

用。至于国债费中，除一部分为内债外，尚有一部分为偿还外债与赔款。这是帝国主义者对我国的一种剥削，也是过去半殖民地国家的一种特征。

第六节　公共支出的经济性质和社会意义

现代国家的职务是异常复杂的；不过无论在军事上、法政上、产业上、文化上的活动，都靠货币的支出而取得社会所生产的商品或劳务，而消费它在一定的目的上，或成为公共的设备，或成为机关的职能，而直接、间接地作用于社会的物质生产或社会的精神生活。这种公共支出，是一切现代国家政治行为的前提，这政治行为本身，表示着社会各阶级的经济利害，有其一定的经济内容；这是当然的事，现在所要说明的并不在此。现在的问题在于这个行为的前提，其本身就是一个经济行为。国家通过其公共支出，作为一个庞大的消费单位，消耗着社会物质生产的物资和人力，因此限制着社会上其他的消费；国家复借此种消费，直接或间接地影响着社会物质生产，即干涉着社会经济发展的过程。我们的问题是国家借公共支出而行的这种消费，是生产的消费呢？还是不生产的消费呢？有人说，这种消费是不生产的，因此国费越增加，在相对的意义上，社会越贫穷；有人说，这种消费是生产的，因此国费越增加，国家越富裕；有人说，在一定范围内是生产的，超过一定范围以上是不生产的。究竟怎样才是对的呢？

这个问题，自从十八世纪起便是资产阶级财政学者争论的焦点。后来因为国家经费的膨胀与财政负担的加重而重新成为聚讼的问题。

重商主义者代表着商业资本阶级的意识，把国家活动看作致富的杠杆，借国家的干涉和保护，造成有利的对外贸易差额，充满在资本主义初期渴求着货币，发展输出部门的生产，这是当资本主义原始积累的时期，资本主义生产还幼稚，单靠本身的经济力量还不够长足发展的时候，国家活动，代表着一个集中的新兴的经济力量，来加速商业资本主义的发展。所以在重商主义者眼中，公共支出是生产的，原因是它可以使国家富裕。

重农主义者作为重商主义的反对者而出现。它首先是法国的产物。它从生产中而不是从流通中找求财富的源泉。它对抗着与专制王朝相结合的商业资产阶级，反对专制国家对于农业经济的横征暴敛。当时，改善农业经济的状态，消除过重的财政负担，正是求资本主义生产广泛发展的条件。因而在重农主义者心目中，国家支出不过是绝对的耗费，而唯一生产的事业是能够提出纯收益的农业。

古典派政治经济学是出现在英国资本主义生产已经成熟的时候，这时国家的干涉非徒无益，并且成为资本主义发展的障碍。因此才发生消极的国家学说，认为最理想的政府是最少做事的政府。认为国家只是无法避免的罪恶，国家的消费，只是不可避免的耗费。财富的增殖，归根结底是由于劳动的生产力。而劳动由于其应用的不同，得分为生产的与不生产的两类，亚丹·斯密说："劳动有两种，一种是附加在物件上，增加了物件的价值，另一种完全没有这样的结果。前者生产价值，所以得名为生产劳动，后者得名为不生产劳动。例如制造工的劳动，一般在该职工所加工的材料的价值上，还附加职工自身的生活费与其雇主的利润的价值；仆婢的劳动，却没有增加什么东西的价值。制造工人虽由雇主垫支工资，但并未使雇主花费何种费用，因为工资的价值，因那附加了他的劳动的物件的价值的增大而与利润一起被偿还了。可是仆婢的生活费，却决不能偿还，人因使用多数制造工而富裕，因豢养多数家庭仆婢而贫穷。”因此，亚丹·斯密又说：“属于社会里最可尊敬的阶级的一部分人的劳动……例如君主与奉职于其下的文武百官陆海军人，都是不生产的劳动者。这些人是国家的雇员，依靠其余的人的劳动的生产物的一部分来生活。这些人的劳动，即使是很有名誉，很有用或者是很必要的，亦总没有因此产出日后可以购买与这同量的勤劳的任何东西。……属于此同一阶级的，有僧侣，法律家，一切学者，医生及优伶，魔术家，音乐家，歌剧家，跳舞家等。”因此，在亚丹·斯密看来，劳动力纵令当做商品而被购入，如果劳动力不会再转化为资本，替资本家制造出利润，那么劳动便是不生产的。因此，他认为把地主、资本家和劳动者所缴纳的租税来支持这种不生产的劳动者，并非社会的利益。亚丹·斯密明明把支付国费而使用的货财，视为一种消费行为，而租税是维持不生产劳动者的一种消费。

亚丹·斯密对于劳动的为生产的或不生产的，其划分标准，既在于劳动的能否结晶于物质而成为物品的价值，则他当然不会把应用于物质生产的国家支出：如桥梁、运河、港湾、道路等上面的支出也一例视为不生产的支出，他曾说过：桥梁、道路、运河、港湾等设备，应由国家自行经营，而利用此等设备的，得节省其生产费与运输费（见《国富论》卷五第一章第三节）。

亚丹·斯密的见解，受到嘉尼尔（Germain Garnier）及塞依（J. B. Say）的批评。他们两人的要点是：即使是不再生产资本的劳动，只要对于社会或使用者有用，亦可叫做生产的劳动；他们认为这种劳动在支出的瞬间内生产了无形的非物质的生产物或价值。但是他们亦不欢迎这种劳动的无限扩大，因为扩大到某种程度之上，亦是绝对无用的。嘉尼尔及塞依的见解，后来为英法德许多学者以各种形式所采用，特别是因此对于国家的机能作了新的说明。例如穆勒（John Stuart Mill）把国家机能之内纳入谋社会正义的实现一点，他认为国家为这个目的而行的活动亦为生产的活动。

我们知道，资产阶级政治经济学到李嘉图而达最高峰。这时英国的资产阶级已经在政治上完全胜利，英国工人阶级在大宪章运动中表示了在政治上的自觉，三十年代已发生了第一次的资本主义的经济恐慌，资产阶级的政治经济学已敲起丧钟，古典派理论被辩护论者发展着，堕落为庸俗经济学了。而塞依和穆勒正是庸俗经济学的代表。

假如亚丹·斯密能够根据他的劳动价值说把劳动分为生产的与不生产的两种，而把不结晶为物质果实不造成新价值的国家活动上所消耗的劳动，作为不生产的消费，而主张尽可能地限制这种劳动，即尽可能地限制国家支出，塞依和穆勒已经把这种劳动设想为生产的，在一定程度上为国家支出的增加辩护了。资本主义国家机构之存在与巩固，固然是资本主义经济存在与发展的要件，因而它的支出，表现为维持和扩大资本主义生产的要件，但这只是证明在阶级对立的社会内由于这个对立的存在而不可避免的人力与物力的浪费，即在资本主义还是新兴的生产方式因此代表着社会经济生产力的向上发展的形式时也是如此。然而正是在这样的阶段上，资产阶级的优秀的代表者，还不怕说出这种浪费的事实，把它判为不生产的消费。一到资本主义社会内矛盾扩大，资产阶级的国家明明表现为专门服从于少数阶级的利益而向大众实行榨取的机关时，资产阶级的所谓学者们，却要用一切借口来隐蔽公共支出的不生产性；所谓公共支出的生产说，正是在这样的意义上加以提倡的。

积极想证明国家活动的生产性的，是李斯特（Friedrich List）。他以为：法律和国家制度，虽非直接产生价值，但明明白白地产生生产力。既能产生生产力，则不能不因此消费财货。国民为着获得无形的、精神的、社会的力量，不可不牺牲有形财，即国家由国民取得之有形财而消费之，以产生生产力。故从国家方面言之，无所谓不生产的消费。李斯特甚至连国防费都看成生产的，因为国防等一切经费，虽引起价值的破灭，但产生安全，安全足以增加生产力。卡尔·第策尔（Karl Dietzel）引申此说：

> 凡生产的劳动，要不受何等障碍，以从事于财富的生产，对于外部危险的保护，实为必要。何以故？因为无此保护，则妨碍劳动的进行，

或使其迟延，致劳动结果终于破灭，至少亦足以减少其价值。故劳动的保护，为生产的必要条件。因无保护即不能生产物件，由于保护而生产，则此保护，可称为与生产该财富具有同一之力。即保护为生产的。而对于人为的妨碍，担任国民经济之保护的，实为国家。故国家行动为生产的，战费在此意义上亦为生产的。（Die Volkswirtschaft in，*Verhältnisse Zu Gesamtwirtschaft and Staat*，1864）

因而第策尔甚至称国家制度本身即一无形大资本、建筑物及交通机关等为国家这个共同经济的固定资本，养活官吏和维持安定的费用为流动资本，从事运输的行为和裁判所的判决等为国家所生产的无形财。华格纳（Wagner）提倡新生产说，认为：

财政，乃国家征取财货，多半用以生产无形财（公共的设备、国家的劳务）。这样，共同经济生产的进行随之而起。（Wagner，

Finanzwissenschaft，Bd. I，3Aufl. § 9）

这里，昭然若揭地表现出辩护论的性质。国家活动完全变为生产的了。保护资本剥削权的活动，称为保护生产劳动；为抢夺殖民地和镇压国内人民而用的战费，称为生产无形财。财政学者的任务为替帝国主义独占资本的利益辩护，为军火商人钢铁大王的利润辩护，为财政负担的加重辩护。

如果说当资本主义还代表着向上的生产力发展的要求，资产阶级国家的开支虽然是人力、物力的浪费，但在当时条件下还是不可避免的东西，因此对社会物质生产力的发展还成为一个"有用"的条件的话；那么在帝国主义时代，当资本主义生产关系已经是生产力进一步发展的障碍，国家政权集中在极少数的金融寡头手中，压制着中小资本主义企业，使劳动者大批失业，使财富在不断的大规模的战争中破坏，使国民经济的果实供少数人过着荒淫无耻的奢华生活，使人民大众在其官式的文化教育之下贫困、愚蠢而麻痹——当国家活动完全为着维持那束缚生产力发展的旧秩序以镇压解放生产力的革命阶级的时候，偏偏大唱其国家支出的生产性和生产力说的财政理论，岂不完全是反科学的欺骗观点吗？

在这样的理论与事实矛盾之前，资产阶级学者便不得不尽量抓住片断的不重要的事实来掩饰自己：他们说，你看，现代国家的文化教育支出不是不断在增加吗？社会福利支出不是在不断增加吗？哪一个制度又完全没有弊害的呢？若是财政支出的这些部分不断增加下去，不是会改变了国家支出的性质而使其更为生产的吗？而且，还有巨量的国家支出是用于国营企业，用于经济建设，为人民造福的啊！

诚然，现代国家增加了对文化教育的支出以培植资本主义生产所要求的品质较高的劳动力，供其有利的剥削，这劳动力消耗于资本家的利润生产上，的确帮助创造了更多的财富，这样说来，是生产的支出。但是，全部支出中，整个文化教育支出占有多少比重呢？在整个文化教育支出中，用于创造新劳动力的部分同用于豢养御用教授、学者、新闻记者、政客、报纸、书刊、广播、电影、“社会教育”甚至出版事业检察官的部分对比起来又如何呢？前者之中，甚至研究应用科学的发明家，他们的天才心血之结晶因不合于独占资本利润的追求而被埋没起来的有多少呢？熟练工人因失业贫困而无由贡献其劳动的有多少呢？后者为阻止社会制度的变革而进行的工作对于新生产力的解放所造成的障碍又如何呢？

社会福利支出的增加，明明是弥缝社会中不可调和的阶级对立的一种手段，并且这种手段，还是在无产者斗争的威胁之下使用的，这并非是什么国家调整社会财富分配的办法。失业救济金的支出，以失业的严重存在为前提，失业就是劳动力的浪费，失业救济金所代表的社会财富，是纯粹地被消费了的，这大概不能当作生产的支出罢。一切以国家支出来和缓阶级斗争的办法，其目的不过是把已经将达到破产的旧秩序维持下来，而并非改变这旧秩序。失业救济的目的在使失业的根源继续保存下去，社会福利的目的在使劳动者贫困的根源保存下去。资本主义社会到要没落的时候，少不了一些改良欺骗手段，来延缓革命。

诚然，现代资本主义国家确实建设了国家企业，实行国家资本主义的生产，这是生产的了，但这个生产是为了便于给独占资本家操纵，便于将国家财产转移给私人，为了给资产阶级的贪官污吏中饱营私，为了掌握着关键性的尤其是军事性的生产，更好地为保持资产阶级统治地位而工作。

资产阶级财政学者为国费辩护生产性时所抓住的事实就是如此。他们要把这些表面上有生产性的事实，掩盖住吞蚀国家预算几乎半数而且不断膨胀的军事费用的滥费，掩盖国家对独占资本家的财政津贴之类。

因此，我以为资产阶级经济学者所争论过的国家支出的是否有生产性的问题，应该这样来考察：

一、国家支出是否成为物质生产过程的一部分，即国家支出所消耗的物质是否转移其价值于物质生产品中，国家支出所消耗的劳动，是否形成新的价值？这个问题须具体地就每一种支出的性质加以考察。如国家资本主义企业单位中的工资支出，现实上成为生产费的一部分，这当然是生产的。然而也如私人资本家的劳动和工厂管理人员的劳动之并未创造任何新的价值一样，那些脑满肠肥的国有企业管理人员，他们所取得的高额薪水和分红等等，并非是生产的支出，却是剩余价值中的扣除。而军费支出、警察支山、司法支出等等为维持阶级统治的支出，不论人力物力，都是纯粹的消费，这个消费在国民经济生产物中的份额，如果要不使生产萎缩，就不能超过一定量。这个量，非但不能侵蚀到单纯再生产所必需的生产手段的补充和劳动者生活资料的维持；在资本主义社会内，并且还要留若干部分给地主和资本家作不生产的消费；如果问题是扩大再生产，则这个份额所占的比率还要缩小。只有在生产不断扩大的基础上，国家支出的不生产的部分，才能不断扩大，它所维持的社会制度才会巩固，否则就会削弱生产的发展，挖空财政来源，形成统治阶级本身的危机。

二、国家支出是否对于社会物质生产力的发展有利？这要看这个国家是否代表着新生产力的发展方向，因而一切措施都以促进生产力为目的。就资本主义国家来说，国家的不生产支出也曾有巩固新兴资本主义生产方法，因而代表其发展方向的时候。在这时候，尽管获得利益的是资本家，然而对整个社会经济来说，还是有利的。这时为维持新的制度而作的国家支出，虽是不生产的，却对生产的发展上是必需的。但是一到帝国主义阶段，情形就完全两样，国家既以维持过时的旧制度而工作，缩压着国民经济的发展，它只是有利于极少数的独占资本阶层，不利于整个生产。这时，不仅维持政权的不生产的开支成为阻碍生产的一个负担，连投资于国营企业而有物质生产成果的一部开支，如铁路维持费、海港建筑费、军需工厂设备费等，都成为整个经济发展的障碍物，因为大生产越集中于资产阶级的国家，这国家便越成为一个顽固的落后的力量，制压其他生产，制压革命运动，这国家资本企业中的收入，成为支持旧制度的财政来源。这种国家资本，只有在被革命政权没收以后，才成为帮助建设新经济的一种进步的力量。

因此，两个问题必须分开：国家支出之为纯粹的消费抑或生产的消费？国家支出的有利于生产或不利于生产？这是两个不同的问题。

对于国家支出的性质的研究，决不能离开国家的阶级的本质。财政学正如经济学一样，是个党派性的学问。站在资产阶级立场抑或站在无产阶级立场来看问题，会发生很大的差别。国家支出当然回头来对于社会经济的发展过程，起着促进或阻滞的作用，资本越集中，国家对经济过程的干涉越积极，这种国家对经济的调节作用，或计划作用，始终应当与实行此种调节的国家政权的阶级性质直接联系起来加以考察。列宁指出关于经济调节、关于管制的整个问题，“归结到谁管制谁，即是哪一个阶级是管制的，哪一个阶级是被管制的”。

国家经费的支出具有怎样大的阶级意义，最好的例证可以从各国在战时实行通货膨胀以筹措战费中得到证明。通货膨胀的结果，引起了物价暴涨。物价暴涨对于资本家和工人的作用是很不一致的。资本家因之而增加利润，工人的实质工资却减少了；这样，社会的财富分配更不平等，阶级分化更尖锐。相反，当通货紧缩时期，它却并非通货膨胀时的过程的倒转，而变成了所谓“产业合理化”运动，这时成为问题的，倒是中小企业的整理淘汰与工人劳动强度的被提高。通货膨胀是一种最恶劣的租税，最不公平的租税，却是资产阶级国家在患难中时时采用的财政手段。这上面表现出的阶级性是非常明显的。

第三章　中央与地方的收支划分问题

第一节　中央与地方收支的划分及美、法、英、苏四国财政制度的比较

在政治学上表现为中央与地方权限分配的讨论，其所反映于财政学上，便成为中央收支与地方收支划分的问题。中央与地方权限的划分，这是依各国的政治制度、历史条件、社会环境而不同的。中央支出一称国家支出，这是指支出主体之属于中央政府的；地方支出乃指支出主体之属于地方政府的。中央收入或地方收入的意义亦同此。国家收支与地方收支之划分，关系于中央政府与地方政府权限的分配、财源的供给等等，对于一国行政上的效率的影响是很大的。惟中央政府与地方政府职权的划分，究竟应该以什么为标准，应该根据国家行政的

效率呢？还是依其历史环境及传统的政治力量呢？自世界各国地方财政的史实来考察，各国地方政府权力的大小，及其职务的繁简，多依其历史的演变为转移，并无确切不移的标准。就理论上说，对于国地收支划分，资产阶级学者大都作下列主张：

一、在收入方面

1. 租税之根据纳税人能力大小而课征者，应归国家收入，如所得税是。若租税之根据纳税人所得利益之大小而课征者，应归地方收入，如房屋税、土地税。这理由是：地方政费，用于一定区域，其发生的利益，多由局部的纳税人享受，故应根据纳税人所得利益大小而课征，而国家政费，则有一般性质，故不应计其发生利益之大小，而应采用能力主义。

2. 租税收入之范围广而数额巨大时，应归国家收入，如财产税、关税以及其他消费税。因为国家支出浩繁，必须以大量税收，才能应付。若租税收入之范围狭而数额小的，应归地方收入，如牌照税、使用税。

二、在支出方面

1. 凡执行的职务有关于全体国民者，或需要高深的技能智力，或行动之需要全国一致者，应归国家支出，如国防费、外交费、司法费、高等教育费等是。

2. 凡执行的职务有关局部地方利益，及需随时监督，或行动需因地制宜的事项，应归地方支出，如救济费、卫生费、工务费等是。

然而这也仅仅是理论上的划分而已。就事实来说，则此种划分，一方面有关于中央与地方政府财源与责任的分配，另一方面则依各国所采制度之为中央集权制或地方分权制而有不同。中央集权制国家的重要财源，多集中于中央，而地方分权的国家，重要财源，多分散于地方。此外历史条件、地理环境，亦关重要。欲求固定的标准，几不可能。现在我们举几个主要的资本主义国家的划分及苏联的情形来作一比较：

一、美国　美为联邦国家，邦政府在法律上享有比较独立的地位，与广泛的独立权力，其区域大都由以前之独立国家演化而来，中央政府之权，为各邦所让予。中央与各邦的财源划分颇为清楚，中央的收入，多靠所得税、公司税及其他间接税，邦的收入，则多靠财产税（General Property Tax），各邦的财务行政，依法不受联邦政府的干涉。其后感于邦之各自为政，缺乏联系，仿英国而行补助金制度，以加强中央与地方的关系，又邦之下分为城市及其他地方单位，邦政府与地方政府的财政关系，颇为复杂，如财产税、所得税及营业税等，多为双方的共同收入，各邦宪法，对地方政府的权力与财源，原有限制，惟地方政府的财政支出，邦政府多未过问，仅由地方官吏自行审查而已。其实际划分的情况如下：

A 中央税

1. 关税；2. 产销税；3. 个人所得税；4. 公司所得税；5. 遗产税。

B 地方税

1. 一般财产税；2. 特殊财产税；3. 人头税；4. 所得税；5. 营业税；6. 执照税；7. 特殊课征；8. 通行税；9. 官业收入税；10. 其他租税。

二、法国　法国为中央集权制之代表，与美国恰好相反。各级地方官吏，仅为中央政府派在各地的代理人，综理其管辖区内之行政事务。中央政府对地方政府之监督甚严，关于财政上的事务，无论税则的创制与撤销，税率的厘定，公债的发行，均须经中央的核准。主要税源，均归中央所有，地方政府的税收大部系附加国税征收。其所附加的税率，仍受中央法令的严格限制。地方公债，必须经内阁之允许，国会之批准，始可募集。惟中央与地方收支之审查，则同属会计法院，兹将其划分情况略述如下：

A 中央税

1. 不动产税；2. 一般所得税；3. 分类所得税。

B 地方税

1. 普通及经常附加税；2. 特殊及经常附加税；3. 经常附加税；4. 临时附加税；5. 地方官产收入；6. 中央补助金。

由此可知法国地方政府除附加税外，别无独立之税源，亦有人称之为“附加税制度”。

三、英国　英国制度，折中于美、法之间，形式上虽中央集权，而实际上各地方政府，仍保有自治权力。在财政方面，地方政府之税源狭少，仅有救贫税及特别捐。为补助此弊，遂创立补助金制度（Grants in aid），由中央政府，视地方政府之需要及成绩，酌定补助金额，使能平均发展，并借此以控制地方。至于补助金之用途，多指定为：1. 警察；2. 初级教育；3. 工业及感化学校；4. 公共卫生；5. 道路；6. 救恤贫穷费。此种补助金制为英国财政上之一特色。至其税收之划分如下：

A 中央税

1. 关税；2. 产销税；3. 汽车税；4. 遗产税；5. 印花税；6. 土地税；7. 所得税；8. 其他。

B 地方税

1. 救贫税；2. 官业收入；3. 特别捐。

四、苏联　苏联是实行中央财政与地方财政民主集中制的国家，如所周知，苏联宪法第十四条是规定联盟国家的各种权限的，其中如批准国民经济计划、统一国家预算以及构成联盟国家，加盟共和国与地方国家行政机关预算的赋税和收入的权力，均属于联盟国家。至于领导货币及信用制度，实行对外贸易的独占，管理银行、工业和农村经济企业，组织国家保险等等，也在联盟国家的执掌之内。同时宪法授权联盟国家对其管辖之外的国家支出部门予以有计划的调度。例如关于教育、保健、劳动立法等领域内之措施，原属各加盟共和国的分内事，但联盟国家却拥有确定其基本原则之权。

苏联财政制度有组织的统一，在苏联国家预算中明显地表现出来，苏联的国家预算，一方面把国家经济各部门所积累起来的资财之巨大部分包括进去，另一方面把加盟共和国以及一切所谓地方预算，也包括进去，此种编制完整的苏联总预算，提付苏联最高苏维埃——全国最高立法机关——批准之，联盟的总预算，是由加盟共和国的预算及地方预算结合而成的。苏联的总预算，不仅形式上是统一的，就从组织方面来看，也是统一的。因为倚靠预算方法而积累起来的整个国民收入的大部分，也是包括在联盟国家的总预算之中。没有赤字，是苏联国家总预算的特征之一，这就是说苏联经济建设、行政开销、军备支出以及社会文化措施的经费，一经列入预算，均有充分可靠的财政来源以供保证，而无匮乏之虞，仗着苏联总预算的平衡，使发展全国国民经济的计划均能如期实现，甚至提前完成。

苏联的财政来源，也像它的整个财政制度一样，是根据政治原则划分为三个范围，即是联盟国家的财政，个别加盟共和国的财政，以及地方行政机关的财政。苏联国民经济发展的五年计划，又分为年度的计划及每季的计划，全联盟的计划，又包括个别共和国的计划及个别区域的计划，无论哪一个共和国或个别区域，如果它们的计划被认为是正确的和必须完成的，但共和国的或区域的财政来源不足以资应付，应由联盟总预算拨款补充之，只要这些共和国或区域的财政计划是包括在苏联总预算中为条件。苏联财政制度的统一性，是由苏联国民经济总计划的统一性中生产出来的，苏联财政制度统一性的伟大价值，也在这里表现出来。

苏联的财政制度，曾经提出，并圆满地解决了三个巨大的任务：第一个任务是在各种财政范围内（联邦及各共和国）尽量增加个别收入的来源。第二个任务，是在同一范围内把完全列在联盟国家政权执掌的一般收入予以分配。第三个任务是分配国家岁出的负担。同时，苏联财政制度所负的任务，还要顾到如下的事实：如所周知，在帝俄时代，俄国经济的发展是非常不平衡的，例如中央亚细亚实际上完全是帝俄的殖民地，帝俄政府对于它们的发展并不关心，在十月革命成功后，这些区域就着手进行社会主义的经济建设，无疑的，这里需要大量的财政支出，然而收入来源却又异常贫乏，因此一九三六年的苏联宪法，废除在个别财政范围间分配收入来源的办法，而改在统一整个财政制度的立场上来确定“一切收入来源”不管它们是作何种预算之用途，均应取得苏联最高苏维埃之核准。由于收入来源问题获得如此的解决才能把它的重心移到动员区域资源完成国民经济计划的领域中去，并使其得到充分的资源保证。由于苏联各共和国及区域间收入的分配作如上的决定，就没有必要把这些收入作硬性的划分。换言之，收入分配的界限，虽然是可以变动的，可是这种变动的总倾向，是随着财政资源的增长，加盟共和国及地方苏维埃财政组织的巩固而定的。结果，联盟资源移到共和国及地方苏维埃中去的部分越来越多了。对全联盟的资源分配之实践加以研究，就可发现此种分配具有如下的基本原则：即是在分配全联盟收入来源时，一方面审慎地避免计划中的复杂性与混乱性，另一方面，在分配的目标上，设法使各共和国的地方政权，对国家的某些收入划归它们支配这件事发生高度的兴趣，为什么在某一共和国领土上所收入的财政资源，可以归该共和国优先支配呢？这首先是因为联盟国家没有它自己的征收机关，而是利用各共和国主要是地方苏维埃的财政机关的缘故，从联盟收入中拨给共和国及地方苏维埃动用的款项，为数颇为可观，此种款项，有时是由联盟发行公债，募集现金拨付之。可是这种公债在苏联并不视作非常的收入来源，而是与其他财政收入一样看待的。例如一九四〇年苏联发行的公债达九十亿卢布，由都市居民认购的总数中划出百分之五十归入各加盟共和国的预算中去，同时又责成它们把这种收入的半数移到地方苏维埃的预算中去，在农村居民认购的总数中，划出百分之九十移交给乡村地方苏维埃去支配。这样一来，共和国和地方财政机关对广泛宣传与认购公债就自然发生了极大的关切。

国家收入在联盟预算与个别加盟共和国预算间的分配，是随国民收入任何一来源之增长而增加起来，并获得可靠的保证，在苏联预算收入的一切基本来源，对联盟及各共和国是共同的来源，只有关税和拖拉机站的收入（在苏联拖拉机站是国营的，集体农场依据合同租用拖拉机，须付一定的报酬，这就构成联盟预算一笔不小的收入）只列入联盟预算，以及所谓地方税的收入只列入地方预算，二者可以说是例外的情形，在苏联所得税大部分也是移交给各共和国的预算，此外，各共和国预算并可获得国营企业利润的颇大部分，在苏联，收益最丰的工业部门，轻工业大半是由各共和国经营的，而价格水准非常接近生产成本的生产工具之生产，例如不赚钱的重工业则集中在联盟的管辖之内。

根据联盟的宪法，苏联的总预算，每年由联盟最高苏维埃加以批准。至于各共和国及地方苏维埃的预算，联盟最高苏维埃只批准其个别部分的概算，领导地方经济和文化建设的地方，苏维埃（边区的、省的、州的、区的）则由它们自己确定其“地方的预算”。各共和国的预算，特别是最落后的共和国之预算，联盟的总预算对它们具有平衡其收支的调节作用，因为它们如果缺乏来源，只要用途正当，都可从联盟总预算中得到支援。表现苏联财政制度是民主集中制的典型实例，是劳动者代表苏维埃，构成苏联的政治基础，联盟最高苏维埃，是苏联国家政权的最高机关，但选举的程序都是一样的，因此，在苏联的一切行政，从上而下都建立在同一的自治原则上，国家行政组织的二元论，对苏联是完全不适用的。吸收全体劳动人民到管理国家的工作中去，是苏联整个内政的基本任务，这个任务的解决，自然集中于劳动者地方苏维埃的活动，地方苏维埃逐渐地使自己变成更能负起管理国家的一般任务，特别是经济的任务，苏联国家政权地方机关（地方苏维埃）随着它自己经验和知识的积累，不仅扩大而且巩固起来，由于地方政权管理机关功能不断的增加，以及赋予它的任务范围之扩大，在最近许多年中，把数量越来越多的机关企业财政以及以前由各加盟共和国中央机关所作的措施，都交给地方预算去处理。近几年来，苏联地方预算的发达是惊人的。在苏联地方预算只有一部分是靠地方来源的收入，而大部分是靠联盟的，以及共和国预算之拨款。一九四四年，苏联地方预算收入的总数，计达三百零五亿卢布中，其中一百四十八亿卢布是靠地方的来源，而一百五十七亿卢布，是靠联盟的以及共和国预算的拨款，这一事实指明了地方苏维埃活动的扩大，与其说是由它经常收入的增加，毋宁说是苏联的财政制度积极帮助地方行政机关的结果。[1]

从上面所举美、法、英、苏四国的比较中，我们可以明白美国是实行地方分权制的，美国的地方政府，权力大而财源足，惟中央与地方，联系不够，联邦各自为政，中央无控制监督之权。法国则为中央集权之例，中央的监督严，惟地方政府的自由，为所剥夺。英国的补助金制度，是折中于两者之间，一面保存地方自治之权，一面使中央得以监督并控制地方，这依然不脱权术政治的范围。只有苏联的财政制度，是计划经济的一部分。它一方面实行高度的地方自治，一方面实行高度的民主集中，这是真正有组织的统一，它预算中没有赤字，中央与地方打成一片，一方面积极鼓励地方苏维埃活动的扩大，另一方面不使地方苏维埃的经费有枯竭之虞，任何个别共和国或地方苏维埃范围内，被认为正确与必要的计划，均由联盟的各种财政来源，加以补助。经济发展落后的地区，更特别予以照顾。像这样完整的统一的财政制度，除了社会主义国家以外，别的资本主义国家

[1] 参考博高列波夫著:《苏联财政制度》(吴清友译)。

是根本不可能实现的。

第二节　中国国地收支划分的演变

我国划分国地收支之议，始于清末，迄今已有四十多年历史，然其中经过多次的变化，兹略述如下：

当光绪三十四年秋，清廷筹备立宪，宪政编查馆与资政院，合奏筹备事项，计分九年，其中第三年定为办理划分国家税与地方税，是为国地财政划分正式提出之始。宣统年间，有各省清理财政局之设，曾编“各省财政说明书”，于税目之划分，颇多论列，惟未及于支出范围。民国成立，划分国地财政之议又起，江苏都督程德全，力主国家与地方财政，应同时划分清楚，嗣后各省当局纷起主张，惟所持之见解，率从个人利益出发，地方军阀，多主张地方分权，而中央官吏，又多主中央集权，议论纷纭，莫衷一是。是年冬，北洋政府财政部特设调查委员会，派员讨论，大家认为在讨论收支划分之前，应先决定有关之前提，当时曾决定关于“国家”与“地方”的界说，地方团体的级数，及国地行政之范围，经财政部据以订定“国家税、地方税”，“国家政费、地方政费”各项章则，派员分赴各省商议，嗣因地方军阀，各持偏见，前项章则，始终未见实行。综观自民元起至国民党反动统治结束时止，对于国地划分，可以划分为几个时期：

一、民国二年冬，北洋政府财政部订“国家税与地方税法草案”，民国六年复加修正，所有田赋等重要税源，悉归中央，地方政府所保有者，仅为零星破碎之苛捐杂税，充分表现中央集权色彩，此时袁氏窃国，阴谋帝制自为，故主张集权中枢，当时财政当局表面上的理由，以为我国赋税系统，尚未完备，国家税与地方税之划分自不能尽据学理，必预参酌事实，因时制宜以行之。是年夏，财政部按照草案，编订民国二年预算册，民国三年行之，惟如此划分，税权集于中央，地方政费，无由筹措。于是又取消国地两税名目，改由主管官署统筹支配。此时袁世凯政权已经覆灭，财政部编订民国五年之预算，遂将原有之地方收入，一并合并编列。至民国五年八月，众议院又建议恢复民国二年之国地税法草案，旋经国务会议决议通过，仍照前项草案办理，自是国地税收，恢复民二之旧制。

二、第二次之改订，民六以还，国地收支，仍照民初国家税、地方税法草案及国家地方政费标准案办理，惟洪宪之后，中枢改组，军阀割据，政局紊乱，乃有联省自治之议，湖南、浙江、四川、湖北、江苏、广东等省且先后自行颁布省宪，自定省税，如湖南省宪第七章第六十九节规定："省税由省议会议决之，省政府征收之"，是省税确定之权，不属中央，而由省地方自定。又如浙江省宪第九十九条亦规定："本省各种赋税，均为省收入，省政府依法律规定征收之"，观此则所有本省税收均定为省税，其他各省省宪亦有类似之规定。是时主张地方分权者，亦咸认为民国初年国地收支划分之草案及标准，中央财权过大，地方政费无着，故均主张地方税应增加田赋等税，地方政费则应增加内政教育工商诸费，初则倡为议论，继且见诸法规，民十二年颁布的宪法，虽仅如昙花一现，越年即被临时执政府组织令所推翻，然而这是地方分权制主张之抬头。

三、第三次的改订，民国十五年，国民革命军誓师北伐，民国十六年六月间，广东政府财政部长古应芬氏召集中央财政会议，乃提出通过“划分国家税地方税暂行条例”及“划分国家费及地方费暂行标准”，旋于同年七月经广东国民政府公布施行，将田赋、契税、牙税、当费、渔业税、营业税等项收入，及各级地方政府之省防、公安、司法等项支出，均划归地方，实与民初所订国家税与地方税法草案，及国家地方政费标准案，互异其趣，这是比较吻合中央地方均权之旨趣的。

四、第四次的改订，民国十七年国民党反动政府取得政权，伪财政部乃于七月间召集第一次全国财政会议，就十六年古应芬任内之国家收入及地方收入暂行标准案及划分国家支出地方支出暂行标准案，更为拟议，加以修正。当经决议“划分国家收入地方收入标准案”及“划分国家支出地方支出标准案”，由伪预算委员会呈请国民党政府核准，于十一月公布施行。十九年二月，国民党反动政府公布“中华民国十九年度试办预算章程”，附有划分国家收入地方收入标准，及划分国家支出地方支出标准，系由伪财政部拟具草案，呈奉国民党反动政府交由各院部会审查签注，汇送中央政治会议议决通过后公布施行。其间款目虽略有改变，实质上却完全根据十七年颁行国地收支划分标准的。

五、第五次的改订，民国二十年，国民党反动政府伪主计处成立，重行拟订预算章程及办理预算收支分类标准，关于国地收支之划分无甚变更，经伪中央政治会议决议通过，于十一月由国民党政府公布施行。嗣于二十二年三月，奉国民党政府令，修正该项标准条文，增入抚恤费款目，其应属国家或地方支出之抚恤费，亦加明确之划分。

六、第六次的改订，民国二十四年七月国民党反动政府复公布“财政收支系统法”，对于中央及省市县收支之划分，配置，调剂，及分类，有重新的规定。这是由地方分权而趋向于中央集权制的开始。它主要的精神，一方面减少省的税源，充实县财政的收入，一面用分税制度，增加省地方对中央，及省对各县市财政的依赖性。但因当时各省地方军阀仍有相当实力，国民党伪中央不无顾忌，一旦新法实行，省之收入，削减甚大，因而公布数年，等于具文。后来明定三十年一月一日为该法施行日期，而此时抗战业已发生，因军事影响，又明令暂缓施行。三十年六月，重庆国民党政府召开第三次全国财政会议，复议决改订财政收支系统，将全国财政收支，划分为“国家财政”与“自治财政”两级，将原有之省级财政完全取消，归入“国家财政系统”之内。国民党反动政府根据议案，于三十年十一月八日正式公布“改订财政收支系统实施纲要”及“财政收支系统分类表”，依据这一财政收支系统，便只有“国家财政”与“自治财政”两级，“国家财政”包括原属国家及省与行政院直辖市（除自治财政收支部分外）之一切收入支出。自治财政以市、县为单位，包括市、县、乡（镇）之一切收入支出。

七、第七次的改订，民卅年的财政收支系统法是国民党中央独裁制的典型表现，省之一级根本取消，省财政厅变成了财政部的一个派出所。但“省”在行政上的地位依然存在，而在财政上却被取消，这不能不说是一个很大的矛盾，因此到了三十五年，反动政府复将财政收支系统法加以修正，恢复“省”之一级。这是国民党反动政府最后的一次修正。

按三十五年七月国民党反动政府所颁布的财政收支系统法，将政府分为三级：

一、中央

二、省及院辖市

三、县市及相当于县市之局

甲　属于中央之税课：一、所得税（包括分类所得税及综合所得税）；二、遗产税（以其收入百分之三十分给县市（局），以百分之十五分给院辖市）；三、印花税；四、特种营业行为税（指银行信托保险交易所及其他以法律规定之特种营业行为税）；五、关税；六、货物税；七、盐税；八、矿税；九、营业税，在院辖市总收入中，至少占百分之卅；十、土地税（1.在省县局总收入中占百分之卅。2.在院辖市总收入中，占百分之四十）。

乙　省税：一、营业税，占总收入百分之五十。二、土地税，占总收入百分之二十，但省应以其土地税之一部分，补助贫瘠县市局。

丙　院辖市税：一、营业税，至多占总收入百分之七十；二、土地税，占总收入百分之六十；三、契税；四、遗产税，由中央分给百分之十五；五、土地改良物税（在土地法未施行之区域为房捐）；六、屠宰税；七、营业牌照税；八、使用牌照税；九、筵席及娱乐税。

丁　县市局税：一、营业税，由省分给百分之五十；二、土地税，总收入百分之五十；三、契税，仅未依土地法举办土地登记之区域征收之；四、遗产税，由中央分给百分之卅；五、土地改良物税（在土地法未施行之区域为房捐）；六、屠宰税；七、营业牌照税；八、使用牌照税；九、筵席及娱乐税。

以上是关于税课方面的划分，由这一划分中，可看出国民党反动政府的税课收入大部分仍集中在中央一级，“省”几乎没有独立的税源。省的税收，只有“营业税”与“土地税”两项，而营业税中只有百分之五十归省，另百分之五十须分给县市。土地税中，省仅得百分之二十，另百分之八十中，以百分之三十归中央，百分之五十归县市。

除税课外，所谓中央的收入尚有：

一、独占及专卖收入

二、国营工程受益费（中央为经办水利道路及其他土地改良工程而征收之工程受益费属之。）

三、罚款及赔偿收入（中央公务机关因执行惩罚而收入之罚金、罚锾、没收、没入财物之变价，及因损害而要求之赔偿金均属之。）

四、规费收入（中央公务机关为司法，考试及执行各项行政事务，依法征收之规费，及中央所属之事业机关或组织合法之收费均属之。）

五、信托管理收入（中央公务机关依法为信托管理时之所入均属之。）

六、国有财产孳息收入（国有财产所生之孳息收入均属之。）

七、国有财产售价收入（国有财产及其所孳生之物品，中央公务机关及事业机关或组织所出产之物品与其应用物品中剩余或废弃之物品，其售价均属之。）

八、国有营业之盈余及事业收入（中央银行及其他国有金融事业，邮政、电讯及其他国营交通事业，国营电气及其他公用事业，国营制造业、林垦业、畜牧业、矿业所获之盈余或收入均属之。）

九、收回资本收入（中央收回其营业或非营业循环基金全部或一部分之资本均属之。）

十、捐献及赠与收入（中央所受人民捐献，赠与遗赠，地方政府捐献赠与及其他捐献赠与遗赠均属之。）

十一、公债及赊借收入（中央发行之公债库券收入与借入之金钱及赊入货物之价格均属之。）

十二、协助收入（中央所受省市及其他地方政府协助之收入均属之。）

十三、其他收入（中央依法应有之其他收入均属之。）

省收入中，除税课收入外，亦有：

一、省营工程受益费（省为经办水利道路及其他土地改良工程而征收之工程受益费均属之。）

二、罚款及赔偿收入（省公务机关因执行惩罚而收入之罚锾，没入财物，及因损害而要求之赔偿金均属之。）

三、规费收入（省公务机关为执行各项行政事务，依法征收之规费，及省所属之事业机关或组织合法之收费均属之。）

四、信托管理收入（省公务机关依法为信托管理时之收入均属之。）

五、省有财产孳息收入（省有财产所生之孳息均属之。）

六、省有财产售价收入（省有财产及其所孳生之物品，省公务机关及事业机关或组织所出产之物品与其应用物品中剩余或废弃之物品，其售价均属之。）

七、省有营业盈余及事业收入（省营银行及其他金融事业，省营运输及其他交通事业，省营电气及其他公用事业，省营制造业、林垦业、畜牧业、矿业等所获之盈余或收入均属之。）

八、中央补助收入（省所受中央补助之收入均属之。）

九、收回资本收入（省收回其营业或非营业循环基金全部或一部分之资本均属之。）

十、捐献及赠与收入（省所受人民捐献赠与遗赠，同级或其他政府赠与及其他捐献赠与遗赠均属之。）

十一、公债及赊借收入（省发行之公债库券收入，与借入之金钱及赊入货物之价格均属之。）

十二、其他收入（省依法应有之其他收入均属之。）

院辖市收入中除税课收入，已见上述外，尚有：

一、市营工程受益费（市为经办道路堤防沟渠及其他改良工程而征收之工程受益费属之。）

二、罚款及赔偿收入（市公务机关因执行惩罚而收入之罚锾，没入财物，及因损害而要求之赔偿金均属之。）

三、规费收入（市公务机关为执行各项行政事务，依法征收之规费，及市所属之事业机关或组织合法之收费均属之。）

四、信托管理收入（市依法为信托管理时之所入均属之。）

五、市有财产孳息收入（市有财产所生孳息收入均属之。）

六、市有财产售价收入（市有财产及其所孳生之物品，市公务机关及事业机关或组织所出产之物品与其应用品中剩余或废弃之物品，其售价均属之。）

七、市有营业盈余及事业收入（市营银行及其他金融事业，市营运输及其他交通事业，市营电气及其他公用事业等所获之盈余或收入均属之。）

八、造产收入

九、中央补助收入（市所受中央补助之收入均属之。)

十、收回资本收入(市收回其营业或非营业循环基金全部或一部分之资本均属之。)

十一、捐献及赠与收入(市所受人民其他捐献赠与遗赠均属之。)

十二、公债及赊借收入(市发行之公债收入,与借入之金钱及赊入货物之价格均属之。)

十三、其他收入(市依法应有之其他收入均属之。)

县市局收入除税课收入外,亦有:

一、县市局工程受益费(县市局为经办道路堤防沟渠及其他土地改良工程而征收之工程受益费均属之。)

二、罚款及赔偿收入(县市局公务机关因执行惩罚而收入之罚锾,没入财物及因损害而要求之赔偿金均属之。)

三、信托管理收入(县市局依法为信托管理时之收入均属之。)

四、县市局有财产孳息收入(县市局有财产所生孳息之收入均属之。)

五、县市局有财产售价收入(县市局有财产及其所孳生之物品，县市局公务机关及事业机关或组织所生产之物品与应用品中剩余或废弃之物品，其售价均属之。）

六、县市局有营业盈余及事业收入（县市局营银行及其他金融事业，县市局营运输及其他交通事业，县市局营电气及其他公用事业，县市局营林垦事业等所获之盈余或收入均属之。）

七、造产收入

八、补助收入（县市局所受省或中央补助之收入均属之。）

九、特别课税收入（其征收应经民意机关通过，并经省政府核准，报中央备案，方得为之。）

十、收回资本收入（县市局收回其营业或非营业循环基金全部或一部分之资本均属之。）

十一、捐献及赠与收入（县市局所受人民及其他捐献赠与遗赠均属之。）

十二、公债赊借收入（县市局发行之公债收入，与借入金钱及赊入货物之价格均属之。）

十三、其他收入（县市局依法应有之其他收入均属之。）

观上表，则知国民党政府中央收入与省收入除税课收入外，其他部分性质大部相同，惟名目不同而已（例如中央为国营工程受益费，省则为省营工程受益费），但其中“独占及专卖收入”是仅仅中央才有的，易言之，即省地方是无权举办专卖及独占事业的。另外一个项目“协助收入”，是指各省对中央的协款而言，省地方则有“中央补助收入”，这是中央给各省的补助。在中央方面之协助收入，即来自各省之“协助支出”，而各省地方之“中央补助收入”，即为中央之“补助支出”。

纵观我国中央与地方收支划分的历史，虽然经过多次的变化，但事实上始终没有建立起一个制度来，主张中央集权的，固然是为便利中央之独裁着想，即主张地方分权，动机也不过为军阀割据张目。双方都是由本身利害出发，并非根据中国的政治经济条件而作科学上的决定。结果是中央集权则流为中央独裁，地方均权又变成封建割据。在国民党反动统治时代，大概伪中央力量所能控制的省区，财权便集中到伪中央，各地方反动派拥兵自雄的省份，则俨然为一“独立的王国”，不要说省税可以自由征收，即国税亦加截留，伪中央非但不敢过问，而且还要在财政上予以补助以羁縻他们。直到抗战爆发，南京反动政府假“抗战”名义，消灭地方武力，巩固蒋匪个人政权，西南与西北，均直接在国民党伪中央控制之下，于是乃一变而为中央绝对集权主义，将“省级”财政亦予撤销。抗战胜利，旧政治协商会议召开时，在草拟宪法上，对于中央集权与地方均权颇有争执，国民党反动派是极力主张中央集权制的，其目的无非要借中央集权之名，行个人独裁之实。国民党反动政权的垮台，正证明中央集权制理论的破产。至于新民主主义的新中国，究竟应该实行中央集权制或地方均权制，我认为两者都不是。新民主主义的经济应该是计划经济，那么苏联的财政制度，是值得我们重视的。财政是构成国民经济整体的一部分，也可说是其中一个重要的环节，中央与地方，应该当为一个整体来看，国家经济建设，应以地方建设为单位，发展地方经济，应配合着国家整个建设计划，在财政上，凡是为地方经济、政治、文化建设所必需的，国家应予以大力的支援，特别是经济发展落后的贫瘠省区。所以这既不是中央集权制，也不是地方均权制，这是财政计划配合着整个国民经济建设计划，即把财政当为实现计划经济的重要手段之一。著者在本书中所以把国民党时代的财政收支系统加以介绍，也不过是作为一种历史的资料，提供我们作为划分新中国中央与地方岁出入时的一种参考而已。

第三节　新中国的国地收支问题

关于新民主主义中国的中央与地方收支如何划分，自然应该配合着新中国的政治体制及新民主主义的经济建设来决定。这里我提供了几点初步的意见，作为本章的结束：

第一，新中国的财政体制应该划分为几级的问题，我们认为划分为中央、省、县三级是比较合理的。过去国民党反动政府的取消了“省”之一级，仅存“中央”与“县”，这是极端荒谬的措施，因为中国的幅员如此广大，经济发展如此的不平衡，再加以交通不发达，如果采取了两级制，一定变成了全部集中制，这不只不可能，而且也不必要。但如果采取了四级制，即中央、各区（或邦）、省与县四级，那又变成了太分散，中央与各区，就变成了双重领导，即成为国家行政组织的二元制度，不仅在财源之分配上非常困难，即在行政效率上，也将大受影响。为了使战后中央能集中力量于财政政策的领导，掌握政策，照顾全局，而地方得以因地制宜，实施其应兴应革的事项，则三级制是适合中国国情的最好办法。

第二，新中国的财政体制假定是三级制的话，则中央与省、县三方面的财政收支应该怎样划分呢？在支出方面，问题是比较少的，凡带有全国性的事业（如国防、外交）以及规模巨大的经济建设，中央各直属机关的开支自然应该由中央支出，而有关局部地方利益，或行动之需因地制宜的，可划归地方支出。这些大概不大会有什么争论的。问题是在收入方面，应如何划分税源的问题。

第三，过去国民党反动政府划分国地收入的标准是应该重新考虑了。在国民党时代，中央最大的收入是关、盐、统三税。这三种税收合计平均要占全部的收入百分之七十以上。今后这三种主要税收在全国税收中的比重一定要大大减低了。以关税来说，过去我们的关税收入是建筑在帝国主义大量倾销商品之上的，今后关税收入，因帝国主义的经济封锁，因我国之将取保护贸易政策，可能大大减低，至少在目前不可能大量的增加。至于盐税，这是人所周知的恶税，在短时期内我们虽不应该取消，但盐税在租税收入中的比重，也一定要减低。最后是所谓统税，统税是以民族工业为课税对象的，在工业税应低于商业税的原则下，统税的比重也不会太大的。关、盐、统三种税收既然在新中国都不会占太重要的地位，那么如英、美各国税收支柱的所得税远景如何呢？谁也知道，所得税的基础，是巨额的私人所得，而巨额私人所得的基础要靠资本主义大规模的企业，我们中国根本没有大规模现代化的私营企业，自然没有可能征取巨额的所得税。所以战前为中国财政收入之大宗关、盐、统税固然靠不住，即为英美各资本主义国主要税源的所得税，我们也将东施效颦而不可得。那么为中央主要税源的究竟应依靠什么呢？这里我们便不能不考虑农业税的问题了！

第四，以农业税来说，过去在解放区，农业税收（即公粮）占财政收入百分之八十以上，比起工商业税来，不知道重要多少倍。这种情形恐怕全国胜利以后，也不会有基本的改变。自然它的比重不会有那么高，但无论如何，农业税收在全国各种租税收入比重中占第一位这一点，我估计在人民解放战争结束后三二年内是不会有所改变的。既然如此，农业税收入是应该划归中央而不应该列入省或县地方收入的。否则的话，中央就没有一宗收入可靠数量巨大的税源，国家也就无法进行恢复与发展经济文化的领导。其次，经过土地改革以后，农业税的性质与国民党时代也已有所不同。在国民党反动统治时代，地租与田赋是分开的，地租是佃农纳给地主的，田赋是土地所有者完给政府的。但自经土地改革以后，地租已不复存在，租与赋已成一体，农民所交的公粮（即农业税），里面一部分其实是过去的地租，一部分才是田粮。换句话说，过去农民是将这一部分交给地主的，现在因地主阶级的消灭，国家已取地主地位而代之，“公粮”就是地租加田赋之和。过去解放区农民所负担的“公粮”虽然相当的重，但农民的生活还是大大地提高了，最主要的原因便是地主阶级的剥削不复存在！既然现在的农业税是含有地租性质的田赋，因此我认为将农业税划归中央收入较为合理。自然，农业税按其性质来说是比较分散的，它不像工业税那样的集中，这是许多人主张把它划归为地方税的理由，但我们认为划归中央并不妨碍农业税的征收仍归各省地方来办理。省与中央对农业税不妨定一比例分配制度，即中央占百分之几，省及县各占百分之几。这一比例如定为中央占百分之五十，省与县共占百分之五十也许是比较公平的。

第五，关于中央与地方财源的划分，世界各国有三种不同的制度：1. 划分税源；2. 附加税制度（即地方就中央之税收附加，作为地方之收入）；3. 比例分配制度。这三种制度各有利弊，亦可并行不悖。税源之完全划分，事实上甚为困难，即在高度集权的国家，亦仅采取部分划分制度。至于附加税制度，优点是可以因地之肥瘠而定不同的附加，因全国性的税收，税率自不能不统一，但由于各地经济发展之不平衡，采取附加税制度则可因地制宜，而并不妨碍全国统一的税率。但附加税制度的缺点是易流于滥征，附税且会妨碍正税之征收。这种流弊，如果没有高度的监督，很难防免。至于比例分配制度，亦称按成拨给制，即一种税收由一机关统一征收，再按成数分配于各级政府，至如何斟酌各级地方政府之职务，以规定其应得之成数，则有待于审慎之研究，再此项统一征收机关，应归何级政府主管，则须取决于比较的行政效率。著者个人是主张比例分配制度的，例如农业税与其采取附加税制度，实毋宁采取比例分配制之为愈。农业税可以作为中央税，但征收机关则仍应归各县自行办理，而归“省”之一级监督之。

第六，关于补助金制度，这本来是中国的老办法，前清时有“协款”与“解款”，协款就是中央补助地方的，解款是各省解给中央的，因为各省经济有肥瘠，财源有贫富，所以贫瘠省区是受中央协款的，而富裕省区则要解款给中央，这是清朝调剂各省财政的办法。所谓协款，也就是今日的补助金是。这一制度，在新中国是可以采用的，省与中央的财源划分，除了税源划分，及比例分配制之外，还应该兼采取补助金制度，即对于财政收入不充裕的省区，或者经济特别落后，须加大力发展的省区，得由中央加以补助，至于财源富庶的省区，则应协助中央，这应该根据各省的富力，经济发展条件，并配合着经济建设计划而定。

以上几点，是著者对于新中国中央与地方收支划分的简略意见，是否有当，提供给当局作为参考。

第三编　公共收入论

第一章　公共收入的意义及分类

第一节　公共收入的意义

国家为维持它的统治权力而执行公共职务，必须有经费的支出，既如前述，这种支出的经费如何取得，就形成了财政学上的公共收入问题。国家收入的形态，是随着社会经济的发展阶段而不同的，古昔国家，多征课劳役与实物。但自货币经济发达以后，则无论收入或支出，已全部采取货币的形态。虽然在战争时期，各国仍有征课实物或征工者，如我国战时的田赋征实，即其著例。在世界各国，当战争时期，亦常有无报偿，或虽有报偿而其报偿实不足以偿其所值的义务劳役或实物征发，但此究为非常时期之例外，而不得视为常经。一般地说，今天各国的公共收入问题，乃一货币的征收问题，即征收了货币再去购买政府所需要的劳务与物资。

广义言之，公共收入自然应该包括国家一切的货币收入在内，但严格地讲来，债款收入是不得视为公共收入的，因债款收入，国家负有偿还的义务，就短时期来说，虽不失为一种临时收入，若就长期来看，则一借一还，固无真正收入之足言，因此在资产阶级财政学上都把债款收入放在公债论一编去讨论的。

公共收入的意义，自今日世界各国的实际情形来说，即政府为供其经济上的需要所收入的货币总额，这种收入的来源，因时代而有不同，也就是说，即视社会经济发展的阶段而异其内容。在资本主义国度里，约可分为官产收入，国营事业收入，国家行政收入及租税收入四项，而以租税收入占最主要的地位。就历史上来观察，则公共收入的发展，可以划分为四个时期：一、官有土地收入时期。在奴隶社会及封建社会，国家的公经济收入与王室的私经济收入淆混不分，一切国费都以王室的土地收入来支付，当时君主拥有广大的土地，其收入颇巨，而支出也比较地简单，故以国王所有地收入充之，并无不足。只当不敷时，始向臣下及人民收纳贡献，以为补充之用，这是充分表明封建领主经济占优势的时期。二、特权收入时期。自十五六世纪以后，欧洲的封建领主制度逐渐崩溃，王权集中，国土膨胀，国家支出随而增巨，另一方面，国王以其土地，多分与宠臣僧侣，国王所有地因而减少，仅靠土地收入，难以支付国费，于是国王乃利用其最高主权者的地位，而发生所谓特权的收入。这种特权收入有的根据国王之地主的权利，因为根据罗马法的观念，国王为领地之最高所有权者，这种所有权及于地下的一切物品，于是采矿者，须纳采矿费，制盐者须纳制盐费，渔猎者须纳渔猎费，举凡一切天然利益，莫不属于君主的特权，非有纳赋，莫敢染指。同时君主又为政治上之最高统治者，由是而有铸币特权，裁判特权，征课财产以及没收财产之权。此外对于一定关口有征收关税权，对于邮政，有邮政特权，对于无主之物，有占有权，对于封建臣下，当其家族死绝时，有财产继承之权，这种种特权，名目繁多，不下数十百种[1]，这正表示封建经济过渡到资本主义的收入

[1] 关于特权收入，种类之多，不胜列举。Mathaeus de Asfflictis 谓有百二十五种，Klock 谓有四百种，Anutonius de petre 谓有四百十三种，足以知其大概。

形态。三、租税收入时期。自十八世纪末叶产业革命以后，资本主义代封建经济而起，近代国家建立，法国大革命后资产阶级的个人主义，日益发达，于是国王私产收入与国家公共收入截然划分，官有土地收入，乃不占什么重要地位，即有亦完全变质而成为国有收入的一部分，不复成为君主的私经济收入。至于各种特权收入，亦以政体改变之故，逐渐变易其性质，并发展而为租税收入，如关税权与继承权一变而为关税与继承税。租税是根据一般报偿的原则，取国民之普遍的负担形态而出现的，虽然所谓国民一般的负担在资本主义社会最后仍转嫁于农工阶级负担，但封建特权阶级免税的取消与全体国民分担之一观念的确立，却不能不说是资产阶级革命以后的产物。自然，在古昔时代，并不是没有租税，力役与实物贡献也可以说是租税之一种特殊形态，但劳役租税与实物租税与现代意义上的租税稍有不同，现代的租税观念乃基于一般报偿的原则，而古代之徭役与贡献则为奴隶社会或封建社会的一种剥削形态，贵族、僧侣及特权阶级是没有负担的义务的。关于这一层，我们在租税论中还要详加论述。四、公共企业收入时期。将来公共收入之趋势如何，我们虽不能判断，但租税收入是建筑在资本主义制度上面的，将来必将随着资本主义之消灭而丧失其重要性，却是不容置疑的事实。在社会主义的苏联，租税即已不占公共收入中之重要地位，苏联的国家预算具有资本主义国家所没有的收入，即国民经济的收入，而首先是大工业的累积，这些大工业便是社会主义的，即全民的财产。苏维埃企业的累积，分成了两部分，其中的一部以贸易税的形式由各企业在卖出自己的生产品之后缴入国家预算，另一部分在确定会计决算之后，从利润中扣除下来，部分地列入企业的预算，部分地用之于扩大生产，增加流通经费，工人及职员的薪金，及改善他们的生活。因此苏联的租税与资本主义国家的租税性质上根本不同。苏联的租税收入（营业税收入）事实上是一种公营企业收入，即政府取公营企业利益的一部分以供国家的岁入。

第二节　公共收入的分类

公共收入的分类，可有种种的不同，有以收入是否有继续性为标准，而区别为“经常收入”与“临时收入”者，“经常收入”是指带有继续性、反复性能定期取得的收入，如租税收入、规费收入、官产或国营事业之收入均属之；“临时收入”是指收入之无继续性，或反复无常，或其数目难以预定者，如募集债款、卖却官产、捐助或赠与等等收入均属之。亦有以收入之根据为标准而区别为“公法的收入”与“私法的收入”者，即凡收入之根据，源于所谓“公法”，国家以行使主权的强制手段而获得者，为公法的收入，如租税、规费、罚金等等皆是；反之凡收入之根据，依于私法，即国家以平等地位，行自由契约而获得者，为私法收入，如国营事业收入、国有财产收入均属之。公法收入亦称公经济收入，私法收入亦称私经济收入，或名前者为强制收入，而后者为经济收入者，意义均与此相同。

公共收入的分类，很早就已为资产阶级财政学者所注意，但因各人的观点不同，分类法也随之而异，但从这种种分类的研究中，我们也可以看出各时代公共收入之性质及其重要性。例如在十六世纪时波丹（Jean Bodin）把公共收入分为七类，依当时的重要程序，顺序排列，一为公有地产；二为掠夺财物；三为赠与；四为征服地之贡物；五为公共贸易；六为关税；七为租税收入。由此可以看出当时最主要的收入来源，是土地收入与掠夺征服地，而租税一项，他放到最后，并谓租税只有当其他方法不能供给财用而政府之需用甚为急迫时，始可用之，即把租税当为一种非常的财源。意识形态本是客观世界的反映，波丹的分类法正说明了当时社会经济发展到了怎样的阶段。到了十八世纪时，德国的官房学派犹以公共收入之来源有三：一、君主之公产收入；二、所谓“特权”收入（Regalia）；三、租税收入。可见当时之主要收入仍为君产与特权收入，而租税仅占次要的地位。租税在公共收入上的重要性，直到十八世纪末叶资本主义经济发达以后方才显著，亚丹·斯密是资本主义青春时代意识形态的代表者，故他对租税的重要性认识特为深刻，斯密把公共收入的来源分为二种：一、公共收入，属于君主私有或国家公有之产业者；二、公共收入，课自人民之财产者。斯密以国家或君主产业之收入，决不足以供国用，故谓国家之支出，大部分须仰赖租税。关于斯密的租税理论，后面还要详加介绍，不属本章的范围，这里只要指出一点，即斯密氏是第一个意识到租税在公共收入中之重要地位的，这正说明斯密是青春资本主义意识形态的代表人物。其后英国名财政学者柏斯脱柏尔亦把公共收入分为两类：一是政府以法人资格取得之公共收入；二是政府借主权征课而获得之公共收入，前者如地租、利息、规费，以及商业经营之所得等等经济收入属之，后者如各种租税（普通税及特别税）属之。柏氏这种分类，大体上承继亚丹 · 斯密的衣钵，不过较为简略罢了。

美之财政学者亚当士（H. C. Adams）把公共收入分为三类：一、直接的（Direct）；二、间接的（Derivative）；三、预期的（Anticipatory）。第一类直接收入即指政府所获自公产与公业的收入，如官产、官营企业、赠与、赔偿或充公等是。第二类间接的收入是由政府运用主权以取之于民的，如租税、规费、特征及罚金等等属之。第三类预期的收入乃指公债及库券的募集而言。亚氏认为当国家发生战事需用孔亟之时，或修筑铁路河道等巨大工程，经常收入不足以应付时，可以采用募集公债或发行国库券的办法，但也应该预度偿还之力，不可随意滥行举债。按亚氏的分类，前两项“直接”、“间接”，已属牵强，至第三项公债之发行，如前节所述，严格说来，并不能算作真正的公共收入，因公债必须偿还，一借一还，并无真正收入之足言，即就广义言，视为收入之一种，其性质亦非“预期”一词所可概括，租税收入或官产收入在预算中，又何尝不是预期的呢！

塞里格曼（E. R. A. Seligman）亦把公共收入分为三类：一、无偿的（Gratuitous）；二、契约的（Contractual）；三、强迫的（Compulsory）。所谓无偿的收入，即赠与的物品货币等是；契约的收入，乃指政府以法人资格与人民发生契约关系而发生的收入而言，如公产公业之类是。至强迫的收入，则由政府运用主权以课之于人民的，如土地收用权、惩罚权及租税权之类是。租税权又分为三种：一、规费（Fees）；二、特征（Special Assesements）；三、租税（Taxes）。兹列表如下（见下页）：

塞氏为现代资产阶级财政学界之权威，但他这种分类，轻重失当，却不足取。例如无偿的一项，在今天早已为历史上的陈迹，即偶或有之，亦微不足道，以之与其他各项收入并列，未免不伦。再在“强迫的”一项中，

塞里格曼之分类法

- 无偿的——赠与
- 契约的——官业、官产
- 强迫的
  - 土地收用权
  - 惩罚权——罚金
  - 租税权
    - 规费
    - 特征
    - 租税

分列三种亦失之偏颇，譬如土地收用权，即非重要的收入来源。又如将关于罚金之惩罚权，与租税权并列，亦欠妥当，租税为现代资本主义国家收入之台柱，岂可与涓滴之罚金相提并论。在租税权中，分别规费与租税，已无必要；而特征一项本为美国之特殊产物，且为地方之课征，与租税并论，更不适当。

此外如鲁滋（Lutz）把公共收入分为商业、行政、租税、公债、簿记五种；卜南（C. C. Plehn）分公共收入为租税、规费、定率（Rates）三种，租税与规费意义明显，自不待论，所谓“定率收入”，卜氏乃指政府公营事业所收之费用而言，即塞里格曼所列之“契约的”收入，或美国统计局所称为“商业的”收入。按卜氏之分类法仍不过演绎塞里格曼之说，别无创见，可置不论。

此外，印度财政学者薛赍士（Shirras）的分类法，是比较值得采择的，薛氏将公共收入分为两类，一为租税收入（Tax Revenue）；一为非租税收入（Non-Tax Revenue）。在租税收入中又将特别捐与规费亦包括在内。租税可分为直接税与间接税两种，直接税乃指归纳税者一次缴纳而不能转嫁于他人的租税，间接税则为由生产者或输入商缴纳而后转嫁于消费者之租税。除直接税、间接税、特别捐与规费外，尚有贡品、资本捐及赔款三者，薛氏谓亦可包括在租税收入之内。第二类非租税收入则包括：一、国营企业之收入，如铁路、水利、邮政、电报、电话、造币厂、文具、印刷、森林等属之。二、社会事业之收入，如学校学费、医院诊金等属之。三、债务之收入，国家有时为债务而获得债款收入。四、杂收入，即不便包括于上三项之内的特别收入。见薛赍士著《财政科学》（*Science of Public Finance*）一书。

我们在这里亦采取租税收入与非租税收入的分类方法，但不必拘泥于薛氏每类中的具体内容。同时主张以中国之国家收入为研究的主要对象。我们先把收入分为租税收入与非租税收入两大类。在租税收入中包括各种租税与专卖收入，专卖事业在财政学上亦称“财政独占”，本为消费课税之一种，我国专卖制度抗战时国民党政府曾经推行，它本由各种消费税中蜕变而来，但因于国民党反动当局之办理失宜，完全变质，以致弊窦丛生，民怨沸腾，战后乃加以取消。但从理论上说，专卖制度仍值得研究，且应列入租税收入之内。在非租税收入中则有各种国有产业之收入、国家行政收入、国营事业收入及债款收入四项，不过债款收入如前所述并非真正的收入，虽然它在各国财政收入上所占地位非常重要，但仍应归入公债论一篇中去讨论。兹将本书之分类法列表于次：

- 公共收入
  - 租税收入
    - 消费课税
    - 所得课税
    - 收益课税
    - 流通课税
    - 专卖收入
  - 非租税收入
    - 国有公产收入
    - 国家行政收入
    - 国营事业收入
    - 债款收入

第二章　公产收入

第一节　公产收入的意义与范围

公产（Public Domain）或称公有财产，普通分为两种，一为行政公产（Administrative Domain），一为财政公产（Fiscal Domain）。前者如行政公署的地基、房屋等等属之，乃政府利用之作为行政之用途的，后者乃指各种可以发生收入的动产与不动产而言，政府可取得货币收入以供公共支出之用途者。行政公产虽然也可以发生收入（例如政府利用行政公署执行公务时所得之收入，如注册费、审判费等等），但这种收入可视为规费的一种（规费的意义，下当详及）；财政公产则纯以财政收入为目的的，本章所称之公产，即指财政公产而言。

当上古及中古时期，公产收入为国家收入的要源，十六世纪波丹在所著《共和六书》中，认为国家的经常支出，可以官有地收入以应付之，即官房学派在十八世纪讨论国家收入时，犹极重视公产之收入。自资本主义生产方法发达，租税制度随以建立，公产收入，乃退处次要地位。现在欧西各国，如英如法，都已将公产转售于人民经营，即令有存在的，亦不过占极少部分，在财政收入中无地位之足言。自苏联于一九一七年革命后，废除私有财产，并宣布将全国之土地、矿山、森林、工厂、铁路尽归国有，公产收入与国家收入打成一片，这与资本主义国家之公产收入其名而资产阶级独占其实的本质不同，我们又当别论。

公产既然是指不以行政上之利用为目的而以财政收入为目的的财政公产而言，它所包括的范围，多指国有土地、矿山、森林等项而言。亚当士谓公产应指为天然资源之产业（Landed property），所谓天然资源，即指渔业、矿地及农地而言。柏斯脱白尔所著书中对于公产亦指为天然之财源，惟其所讨论者，仅为农地与林地。但除森林、矿地等不动产之外，实应列入动产，如公有债票、股票、储蓄金、基金等，凡可以发生利息红利及股息收入者均应包括在内。兹就国有土地、国有森林、水利、矿地及动产分别论之：

一、国有土地　自从原始共产制度崩溃以后，即有土地私有权的建立，但土地私有权的形式，是因时代不同的。封建时代，国王名义上是全国土地的最高所有权者，然其实际经营的土地，只是王室领地的部分，封建领主各自对其采邑有所有权，但其所占有者，只是庄园中的一部分，另一部分是农奴所占有，永久使用，除了耕地以外，还有不被分割共同使用的森林、草地，实际上为全村公有。现代的土地私有权，即脱离了身份、地位而当土地为绝对的自由买卖、租佃、分割的商品处理的私产的所有权，是资本主义发展以后的产物。从封建到资本主义的过渡中，无数农民被掠夺了耕地，无数实际上本为全村公有的公地，被地主没收为私产，而寺院、教堂、国家的公地也被掠夺为私产了。作为公地而留为国家所有的，实际是非常狭小，多半是为着公用的目的而由国家征用的土地，或荒芜未经开辟的土地。马克思在“所谓原始蓄积”一章中说：“夺取寺产，欺诈让渡国有地，盗掠共有地，掠夺封建所有地氏族所有地，把它在无所顾忌的恐怖主义下，转化为近代私有财产，这种种，都是原始蓄积的牧歌的方法，这些方法，给资本主义农业以活动的领域，使土地并合于资本，同时并为都市的产业，造出被放逐的无产者的必要供给。”（《资本论》第一卷，中译六二五页）

新兴的资产阶级，非但不主张保留国有地，并且积极地推动把公地转为私有。在英国，议会曾于一八〇一至一八三一年间，将三五一一七七〇英亩的共有地，从农民手中掠夺，无代价地转为地主私有。亚丹·斯密是始终反对国家经营土地，他认为国营土地必然怠于耕种，忽于管理，而致收入减少。欧洲大陆的各国王朝，把出卖国有土地为取得巨额收入的方法。与此相反的思想，认为国家应该保留国有地的，则存在于德国。德国财政学者劳氏曾综括当时赞成及反对售卖公产的理由，自己站在反对售卖方面，反对的理由可归纳为下列几点：1. 公有土地的收入非取之于民，可以不致引起人民反感；2. 公有土地种植的进步，可示人民以模范；3. 公产作为借债的抵押品，可增国家举债的信用；4. 公有土地的经营未尝不可改良。所谓社会政策学派的华格纳氏，并进而将国有土地的保留美化为平均财富，然而德国当时所以流行这种理论，正反映德国封建力量残留之深，在欧洲各先进资本主义国家中，德国是大地主势力保存最多的国家。

国有土地的经营，在十八世纪初期以前，最盛行国家设官自营的方法，实即利用农奴劳动、半农奴劳动，和普通地主经营一样，从事耕种。这种经营，适应于当时自然经济，粗放农作方法，和狭隘的市场关系。资本主义发达以后，国有土地的经营，多采用出租方法，十八世纪多用永久租佃制，规定一定租额，无限期地租与承租人；稍后，改为定期租佃制，租期渐次缩短，自五十年乃至一百年短缩至二十年、十八年甚至更短期间。选择佃户的方法，由政府当局任意选定的方法，变为竞争投标或折中投标的方法。在资本主义农业发展落后地方或大地主经营占优势地方，如德国北部，盛行大块出租法；而在集约农作盛行的地方，多行小块出租法，如法意及德国南部。这国有土地经营的蜕变过程，反映着农业资本主义化的趋势。国家直接经营土地的方式，不过是封建生产的一种残余；现代国家的短期出租制，表示国家的保有土地，并非是以现代生产者的资格，而不过是作为一个地主的身份分取剩余价值罢了。

由国有土地所得的收入，在资本主义国家总收入中已退居极不重要的地位。薛赍士估计英国国有土地收入占经常收入 1.3%、意大利 0.1%、法国 0.9%、西班牙 0.9%。

二、国有森林　马克思在论及生产时间时，曾有一节论及造林业的特点，他说："造林业因为有漫长的生产时间（其中仅包括比较短的劳动时间）及由此引起的长的资本周转时间，使造林业不适宜于由私人经营，从而，也不适宜于资本主义经营。因为资本主义经营，即以结合资本代替个别资本的场合，也在本质上是私人经营。"（《资本论》第二卷，中译第一八六页）"因为购买森林地所投下的资本，必须待长时间后，方能有收获；这种资本只是断片的周转着，就若干种森林说，必须过一百五十年资本的周转才会完成。并且，要使树木的生产不致中绝，生树的储量，还须十倍乃至四十倍于常年利用的数额。所以，除非他有广大森林又有别的收入，不然，他是决不能从事规律的造林事业的。"（基尔齐浩夫《农业经营学提要》第五十八页）这才是国有森林为什么还能保存，而资本主义的学者们提出种种理由来主张国有的真正原因。

就整个国民经济的利害上来说，森林当然宜于国营：1. 林木为重要建筑材料和造纸原料，必须有长期的保护才能保持其供给；2. 对农业来说，森林保持水气，免除水患，抵御风灾，保护水源；3. 经营森林，必须有长期投资，利用现代造林知识，交给私人经营，不能作理想的经营。然而这些理由，并非资产阶级主张保持国有森林的真正理由。资本主义发展时期，对于森林实际上起着破坏的作用。

三、水利　水利的种类有三：一为航行，二为灌溉，三为水力。为便利航行，国家往往支出大量资本，从事疏浚、筑堤等工程，但除特殊的运河外，大都开放给船舶自由航行，并无收入。灌溉和水力的利用则不然，大规模的灌溉工程和水电工程，多非私人资力所可举办，其利益亦不宜由私人垄断。过去动力，仰赖于煤产，现今则重视于水力的利用。水电较诸火电，廉价不知若干倍，对于一地工业、运输业、现代化农业，关系甚大，如美国在罗斯福新政期内所建设的T·V·A水力工程，改造了整个推尼西河流域的经济而使其现代化，此种工程，非国家莫办，国家从此可以得到巨额收入。

四、国有矿山　中世纪以来，无论何国，均有矿山特权，作为君主特权，而所有的矿山，君主借出租而得高额采矿费。法国革命时代，宣布矿山国有，要求采掘的，须经国家的许可，同时征收一定的费用。英国在十五六世纪以来，由于地主力争采矿权为附属于土地所有权，国王乃放弃此项特权，仅保留金银矿。产业革命以后，顺应资产阶级大量开采的需要，国家多改取采矿自由原则，将国有矿产，分售无余。矿山的私人占有，成为重工业独占资本集团之基础之一。近来资本主义国家为适应军事生产之需要，才局部地将矿山收回国有。自营的矿山收入，逐渐增加。

五、国家动产收入　资本主义的国家动产收入，可以分基金资金收入、股息收入、利息收入三项，分别一述：

基金与资金不同：基金是为了应不时之需或达到其他目的而设的基本金；资金是为了事业经营上或会计管理上之利便而特别设置的资本金。两者虽然不同，但其保存的形式则相似。基金资金，其始均以货币形态特别储存，但货币死藏不生利息，所以往往求投资的方法。投资的方法有四：即贷出、存款、购有价证券、投资于不动产或事业。对于不动产或事业之投资，可得不动产收入或国营事业收入，应属于国营事业范围，此地可以不论。存款、贷款及有价证券形态之选择，无论为达其本身目的上言，或为取得动产收入上言，均为重大问题，采取存款或贷款形态，固可免资本的死藏，但一旦急需，往往有存款不能提取或债务有无法偿还的危险。因为国家有紧急需要时，常发生信用恐慌，有时国家提取存款或收回债务，将使恐慌加剧。至于以有价证券形态保有资金，即投资于公债公司债、股票之类。利息较存款贷款更多，但紧急需用时难于处分，如国家骤然抛售证券，证券价格必跌，反致损失。因此基金资金的保存，往往采取购买国际证券的形式，信用昭著的资本主义国家的有价证券，得在国际市场自由买卖，在国外处分容易，且不因此处分而即动摇其价格。但战争基金不宜采取此形态，一旦战事发生于发行证券之国，证券价格必跌，难于处分。所以备战基金，往往宁可采取现金死藏的办法。基金资金平常都列作特别会计，将基金资金的收入，特别储蓄，不列入一般会计之内。

股息收入，是国家为政治上或经济上的必要，成为股份公司的股东时而保有有价证券领取股息。如英国的保有苏伊士运河的支配权，借保有运河股份公司的股票。以及战前日本，投资于南满铁路公司、鸭绿江采木公司、台湾银行、朝鲜银行等而保有其股票，其股息收入亦属不少。

利息收入，系出于政治上、经济上、财政上政策的必要，而贷与个人或团体时所得的利息收入。又国库存放于银行由银行代管的货币，亦应有利息收入。存放于外国银行作为存款或购买外国短期公债券（国库券等）可备平衡贸易差额之用，此种收入亦动产收入之一种。

第二节　战前中国的公产收入

我国国有产业，在北洋政府及国民党政府时代以屯田、沙田、旗地、营地、废署、官房为大宗。废署官房，无收入之足言，可置不论。至屯沙旗田及营产等在以前预算中称为“官产”，后来则并入“国有财产”项下。“屯田”始于汉昭帝始元二年，发习战射士，调故吏将屯田张掖郡，这是创设屯田之始。以后屯田赡军，历代视为要政，惟章制不时变更，精意渐失。清初沿明制，后以屯卫之军，次第裁汰，卫所屯田，多归州县征收。最初是用屯田以赡军，借赡军以转漕，而以按帮起运，计船授田，为配给之法。到后来则变成或者自行执业，或另佃承租，居所彼此无定，帮次又远近不同，屯田乃有名无实。到光绪末年，始改并卫所，裁汰帮丁，屯租归入地丁项下征收，民国以来，清理屯田，收价给照，改屯为民，屯田变为官产入款，此其一。“沙田”有江滩海滩之分，起源亦早，清查沙田，时见丈册，清代丈放升科，定例甚详，民国初年，以沙田时有升涨，亟待清理，按田的性质，或缴价升科，或改定科则，而沙田亦为官产入款，此其二。“旗田”，起于清初，向不纳粮，系恩赏旗民之地，积时既久，托辞租典，实同卖绝，而于圈地之外，还有租籽地、旗租地、典当地、井田、买租地之名，到了清末，各项旗地，归普通人民掌管者颇多，民国以后，清理旗地，收费给照，按则升科，而旗地亦为官产入款，此其三。“营地”，初备军营自用，旋以营制变更，师旅迁调，而是项营地，间有荒废不治，或租佃于民者，民初经逐项调查，除必须保存者外，多公示标卖，收价升科，而“营地”乃为官产收入，此其四。“废署”本为官厅之用，后因时势变迁，或省会迁移，或官制变更，荒芜废弃，民初亦分别清理，除于行政上应保存的以外，出示标卖，改归民有，故废署亦为官产收入，此其五。“官房”，原系民产，因案入公，由官租赁于民，以收租金，后因弊端丛生，亦公告标卖，而官房亦成为官产收入之一，此其六。此外尚有“垦务”一项，过去多在热河、黑龙江、察哈尔、绥远一带，因我国西北一带，旷野未辟，为提倡垦牧，招领垦荒，酌收地价，亦为官产收入之一。

以上各项官产之中，如废署官房，近二三十年来早已处分殆尽，荒地亦放垦已多，余则或因地势关系，荒僻不易经营，领数顿减，均无收入之足言。至其他官产如沙田、旗田、屯田之类，在抗战以前，仍规定由国民党中央处理，为整理计，各省并曾设有机关以主其事。如在江、浙两省，国民党财政部设有沙田局，定有领垦及报领价格。河北热河之旗产与清室官房田地以及营产等项，国民党政府亦尝设有官产局，以从事清理。营地当民国三年，曾由财政陆、军两部会同清理，十七年国民党财政部为统一部权起见，收归直辖，除于军事上应加保存者外，公卖标价，然业已清理的，亦不过五分之一而已。

我国官产收入，在前清时，或归入“田赋”，或并入“杂收入”项下，故预算中，并无官产收入的项目。民国二三两年亦未分定，迨至四年前后，共解八百余万元，民国五年及八年预算，均以“官产收入”为中央直接收入。五年预算中所载“官产收入”计一千七百四十余万元，占收入预算总额百分之三点六。民八预算中所载之“官产收入”，计一千七百四十余万元，占收入预算总额百分之三。北京财政整理会所编制的试拟暂编两预算及整理财政概算，亦均以“官产收入”为中央直接收入，计一千四百四十三万元，与民五各省认解之数，数字较少，按财政整理会的收支，乃根据各省送到的表册，由专门委员详细审核，较为可靠。南京国民党政府成立以后，十六年以前在军事时期，十七年北伐甫告完成，各机关应送预算，仍多缺略，自十八年以还，预算中均有“国有财产收入”一项，兹将抗战前民十八年至二十六年历年预算中的“国有财产”收入，列表于次，以供参考：

年　度	国有财产收入（单位：元）
1929	10,901,280
1930	5,470,056
1931	5,072,048
1932	5,972,456
1933	3,617,158
1934	5,544,878
1935	8,846,850
1936	5,820,504
1937	4,143,913

以上为预算中所列的数字，是否与实际收入相符，不得而知，但就预算而论，则可知官产收入在国家总收入的比例是很低的，例如以民国二十六年而论，它不过占预算岁入总额千分之四而已。至抗战发生，国土大部沦陷，国有财产收入，更微不足道，同时会计科目亦多有变更，例如民国二十七年国民党政府总预算中，“国营事业收入”项下列有“公有财产及权利之孳息收入”二〇八〇〇〇〇元，二十八年总预算中为三七四七

〇〇〇元，二十九年预算中国营事业收入中列有“物品售价收入”及“利息及利润收入”，前者为二四七六〇〇〇元，后者为一四一八〇〇〇元，惟此项“物品售价收入”与前之“官产收入”，意义上颇有不同，所谓“物品售价”主要地是指出售国民党政府国营事业的生产品，而不是指官地等不动产而言。按三十年之“物品售价收入”为三二六二二〇〇〇〇元，“利息及利润收入”为一三五四一〇〇〇元，三十一年预算中“公有财产及权利之孳息收入”为三六六九〇〇〇〇元，三十二年为五〇六六七〇〇〇元，此时不但公产收入之性质与以前迥然不同，且币值低跌难资比较，而所谓“预算”也者更有名无实，不过是虚应故事而已，我们这里列举出来，亦不过聊备一格，以供读者参考罢了！

林业亦是公产的一项，民国三年的森林法，全国林地，除政府已有者外，业主的森林，一律亦归国有，分别情形由农商部或各省地方官署管理。民国二十一年南京国民党反动政府立法院所通过的森林法，规定：“森林依其所有权的归属，分为国有林、公有林及私有林”。凡国有林，由主管部设立林区，经营管理，公有林则由各该地方主管官署或自治团体，经营管理，凡公有林对于国土保安上或经营上有收归国有的必要者，或关系山河水源及其利益不限于所在地之省区者，得收归国有。凡私有林对于国有林或公有林之经营上有必要者，亦得依法征收。

若国有林、公有林、私有林具有下列条件之一者，按国民党政府森林法应编为保安林：一、预防水害、风害、潮害；二、涵养水源；三、防止砂土崩溃飞沙坠石，泮冰颓雪诸害；四、有关公共卫生；五、成为航行目标；六、便利渔业；七、保持名胜古迹的胜景。保安林非得地方主管官署的许可，不得斫伐或伤害，放牧牲畜，采取草皮树根等。

国有林的经营、收入、支出，均属于特别会计，盈余多用以推广林业。过去对于造林事业视同点缀，所谓农林部的设立，国民党反动当局本不过用来安置下台军阀，或羁縻卖身投靠政客的手段（如陈济棠、盛世才及左舜生之被任为农林部长，即其例证），并非南京反动当局真对农、林事业有所重视或认识，故其毫无成绩，自不足异。

第三章　国营事业收入

第一节　国营事业的范围

近代资本主义国家经营生产事业，主要的还不是作为财政收入的手段，国营企业在资本主义国家内，不过是独占资本的一种形态，国家代表着资产阶级中最强大的集团，以剥削劳动者所得的收入，来维护自己的政权，在这一点也表示出财政的意义。然而目的不只如此；有些事业，如交通上的邮政、电报、铁路、公路等以及城市公用事业：自来水、电灯等，关系于整个资本主义的生产秩序，如果交给个别资本家去办，在私人追求利润的自私冲动下，未必能保证资产阶级全体的利益；并且这些命脉的企业，在劳资斗争过程中，有因劳资纠纷而危及其他生产的危险。国家接收过来或国家自办，便利于用直接的政治军事力量来保证“生产秩序”。例如英国煤矿工人斗争激烈时，国家也临时接收资本家煤矿来镇压工人的。

有些事业，如交通、钢铁工业尤其是国防工业，直接与军事利益有关，为保证军需供应，或保持军事秘密（如原子能生产），都有由国家独占的必要。银行业发达以后，为控制金融市场贯彻财政政策，国家银行成为资本主义体系的灵魂，其设立，固然为达到财政上的目的，但并非指狭义的为增加财政收入，而是为便于通过国家完成独占资本的统治。

纯粹以增加收入为目标的国营事业，和民间独占事业的做法并无二致，这些部分，原来无国营的必要，不过国家独占了经营权，利用垄断价格，以普遍地剥削消费者而已，例如食盐、烟叶、酒类的专卖事业，实际上即是消费课税的一种。

由于目的不同，经营方法亦不同，主要目的为增加财政收入者，自然注重在可能限度内提高价格保证最多的财政收入；但以维持资本主义秩序普遍供应原料或动力，以加强物资流通发展资本主义市场者，如电力、运输等等事业，往往力求低廉，仅图收支平衡；关于军事国防之企业，由国家经营时，甚至仰赖国库津贴，以图充分发展，准备战时需要，使国家经常把握超过平时需要的生产力。

中国的国营事业，可远溯至东周，管子治齐，通轻重之权，缴山海之利，征盐策，禁北海之众，无得聚庸煮盐，这就是盐铁专卖之滥觞。后代如汉朝的桑宏羊、唐代的刘晏，都是专卖制度的鼓吹者。不过那时的专卖与现代财政学上的财政独占，性质不尽相同，专卖虽为公营事业之一种，但我们拟放在财政独占一章去讨论，现在我们这里所指的公营事业，是指专卖以外的国营事业如国营厂矿、邮政、电报、水电、银行等等而说的。近代我国国营企业（亦称官办事业）是从鸦片战争以后才开始的，这是清末开明的官僚绅士为支持清朝没落的政权而对抗帝国主义侵略的富强运动的一部分，自一八五八年李鸿章在上海开办江南制造局起，其他如马尾船政局、天津机器制造局以及汉阳兵工厂等等都是中国自发图强的一种表现，因为中国自经过了中英、英法联军、太平天国、甲午战争之役后，李鸿章、左宗棠、张之洞等一帮比较开明的官僚才开始认识中国的枪炮的确不如西人，中国要发奋图强，就应该建立我们自己的兵工业。所以中国的国营事业最初是军事工业，其后才是轻工业，如左宗棠的甘肃织呢总局、张之洞办的湖北织布局等等，然而所有这些官办事业没有一个不是失败了的，失败的原因在客观上是由于外受帝国主义的压迫，内受封建势力的摧残，主观上则由于这些官僚们根本没有现代企业家的精神，上焉者（如左宗棠、李鸿章、张之洞等）不过把办厂当成铺张门面，粉饰太平的东西，下焉者则视工厂为衙门，在国营事业中充满了官僚主义的作风，以做官或报销的方法去经营，丝毫没有企业精神，贪污舞弊，视为家常便饭，往往国营事业破产或关门了，而个人却腰包累累，脑肥肠满。因此清末所办的国营事业，到了民国成立，除了遗留为历史的陈迹，以供凭吊外，别无其他的意义了。

第二节　过去国民党反动政府的国营事业

自国民党反动政权建立以后，初期国民党对国营事业相当地采取放任态度，除了邮、电、铁路及若干重工业外，大都开放民营，不采积极干涉主义。但随着蒋介石独裁权力的加强与中央集权制的完成，蒋逐渐完成了以四大家族为中心的官僚资本所控制的国营企业，这一中央集权化的国营企业，不仅包括金融机构、财政机构、工矿业机构，而且囊括了所有的轻工业及对外贸易。到了抗战结束，国民党当局狂妄而骄傲地接收了各地的敌伪产业，成立了各种国营公司，这一官僚资本主义的国营企业，垄断了金融、财政、工矿、贸易的一切，其集中的程度，远过于战前德、意、日诸法西斯的国家，但它与法西斯国家不同的是国民党政府的垄断，并非通过财政独占资本的资本主义方式，而完全用一种超经济的非法的掠夺，用种种无耻的手段，假公济私，化公为私，名义上是国营，事实上归四大家族所私营。例如以银行来说，中、中、交、农四个国家银行大家都知道是代表了蒋、宋、孔、陈四大家族的，其中除了中国银行在人事系统上还保持相当的独立性以外，其余的几已完全成为蒋介石个人的外库。但这四个银行除了中央银行原为广东国民政府所创办，到以后经了孔宋的长期经营，变成了四大家族控制全国金融命脉，剥削中国人民的总机构者外，其他如中国与交通，原来是官商合办的银行，其中官股只占很小的比例，可以说是官营其名而商营其实的国家银行。例如中国银行当民十六年前，官股只有五万元，不过占四百分之一，因此当民四年间，中国银行可以拒绝袁世凯政府的停兑命令，而维持它钞票的信用。但到民国二十四年南京政府竟以一纸命令，增加官股，而把中行攫为己有。手段毒辣，得未曾有[1]。至于

[1] 中国银行之被攫夺是颇富于戏剧性的一幕，当民国二十二年宋子文辞去财政部长后，不甘寂寞，一方面他被任为全国经济委员会委员长，但这是徒具虚名的闲职，一方面他自己创中国建设总公司，苦于资本不够周转。因此蒋孔协议，想把中国银行抢了过来，作为宋子文下台后的报酬。二十四年三月二十九日孔祥熙在行政院提议通过了发行二十四年金融公债一万万元，据说是为“救济金融恐慌，充实银行资金，拨还垫款，巩固金融，便利救济工商业”，以“三千万元拨充中央银行，一千五百万拨中国银行，一千万拨交通银行，作为增资之用”。中国银行资金原为二千五百万，官股仅五百万元，一旦加一千五百万，即官商各半，当然归政府所有。中国银行的张公权在杭养病，事先一无所闻，闻讯惊愕。财部的所谓增资，只是一纸命令：“查该行资产负债总额与资本总额，比率失衡，应及时充实资本，查原有资本二千五百万，内官股五百万元，应再增官股一千五百万，随文发给二十四年金融公债一千五百万元预约券五纸，仰即填具一千五百万元官股股金收据送部备查，并将中国银行条例修正。”这样不拨一个现金，国民党政府即把中国银行抢到手了。同时南京国民党政府立即下令修正中国银行条例，派宋子文为董事长，并调张嘉璈为中央银行副总裁，张嘉璈自不肯就，后来总算给他做铁道部长，给他一点面子。二十四年三月三十日中国银行举行股东会，一切均如南京反动派预定计划进行，由宋子

中国农民银行，那完全是蒋个人的外库，为他私人所非法设立。中农之成为国家银行，毫无法律的根据，只不过便利于蒋个人的发行钞票而已。中农所以成为国家银行，一是它的资金可以由公家筹拨，二是可以享受国家银行的种种特权。严格地说，中农与其说是C. C.的银行，毋宁认为是蒋个人的银行，C. C.不过代蒋介石私人做账房而已。[1]又如全国的工矿事业完全控制在国民党资

文为董事长，宋汉章为总经理，中国银行原来组织董事长为虚职，总经理为实职，改制后董事长为实职，总经理形同雇员，条文规定“总经理由董事长会同常董，于董事中提选同意聘任，呈报财部核准”。此即世所称之董事长制，中行由此入四大家族之手。

[1] 中国农民银行前身为豫、鄂、皖、赣四省农民银行，成立于民国二十二年四月一日，当时蒋介石在江西进行反革命的“剿共”，苦于军费筹措困难，因为这时法币政策尚未实行，中国、交通两银行仍在江浙财阀之手，未为蒋完全控制，中央银行实力薄弱，蒋于是决定设立四省农民银行，自行发行钞票。它所发行的钞票既无准备金，亦从不公开检查报告，当民国二十四年英国李滋罗斯奉命来华，计划改革中国币制时，各银行均提供发行准备报告，四省农民银行独付阙如，当财政部向农行要求此项发钞准备时，蒋介石勃然变色地说：“我连这点自由都没有吗？”这话就是说：中农是蒋介石个人所私有的银行，应该享受自由发行钞票之大权，不受准备金的约束。李滋罗斯见蒋介石如此表示，自然无可奈何。故当法币令颁行之初，明令规定为法币的仅有中央、中国、交通三个银行所发之钞票，而中国农民银行并不在内。但中农仍继续享受发钞之权，到后来，就糊里糊涂把中农也算为发行银行之一了！

源委员会手里，资源委员会前身为国防设计委员会，这是直隶于国民党军事委员会的，也是蒋介石私人的机构，一向由御用“学者”翁文灏等所一手把持，四大家族所间接控制的国营事业及其直接所控制的官僚资本，其独占性达到什么程度，曾经有人作如下的统计：[1]

金融	国营+省县市营+官僚私营	97%
工业		
重工业	资委会+省市公营+官僚私营	90%
轻工业	国营+国家银行投资+省营+官僚私营	60%
交通	国营+省县营+官僚商营	95%
贸易	国营+官僚私营	90%

从上表的估计中，可以看出中国官僚资本在全国国民经济生活中的比重，这是任何独占资本主义都不能与之相比拟的。自然，这一估计由于其中“官僚私营”所包括的范围之有伸缩性，我们很难确定其正确程度。但无论如何，由于中国经济组织的散漫与小生产性质，国民党官僚资本的垄断程度，在全国经济比重中占着绝对优势的地位，是为我们所公认的。特别是金融事业与工矿事业，例如四行两局的资本额在全国银钱业资本中约

[1] 见杨培新:《论中国独占资本的特质》。

占全国百分之九十以上，而工矿事业仅就资源委员会所属各单位而说：它在全国生产中的比重，计电力要占全国总生产量百分之五十，煤力占百分之三二点五，石油占百分之百，钢铁占百分之七十，钨锑占百分之百，水泥占百分之四十，电动机占百分之六十五，酸类占百分之三十五，变压器占百分之四十五，其集中的程度，实在是非常可惊的。

中国国民党反动政府的国营事业，有几个显著的特质：一是国营事业其名，而豪门垄断其实，所有的国营事业完全控制在四大家族及与四大家族有血缘关系的少数亲信手中。国营事业完全是为肥壮四大家族的资本。他们本身既没有雄厚的资本，因此非凭借国家之力，不足以言扩张。例如蒋宋孔陈四家，除了孔原先是山西的小财主外，蒋、宋、陈原先都是“穷措大”（民国十九年胡汉民被扣于南京汤山，两广起兵讨蒋，指摘宋子文说：“宋子文一穷措大耳，任财长以来，富埒王侯。”其实何止是宋，蒋在未得志以前，乃上海滩上一流氓，穷极无聊，在交易所做投机生意，陈更不用说，完全凭着办党起家，即就孔祥熙而论，孔在山西也不过是一个小地主，相当于一个小钱庄的老板。他们今天的庞大财产完全是靠化公为私，巧取豪夺而取得的。例如中国农民银行本为蒋介石私人的外库，居然与中央、中国、交通鼎足而四，即为公私不分，假公济私之典型的例证）。所以国民党的国营事业与豪门资本是一而二，二而一的东西。其次，国营企业常常要依统制经济而完成独占，所谓统制经济，在中国国民党统治下变成了只许州官放火，不许百姓点灯的武器，其目的不是为着整个国民经济之发展，而不过是便利于官僚资本的假公济私，完成全面的独占。例如桐油、猪鬃、生丝、羊毛，这都是我国的特产品，生产分散，要完全垄断是不可能的，但是国民党政府却强迫农民通通售给政府，名之曰：统购统销。又如江西的钨，云南的锡，则由资源委员会垄断统销。又如以行政力量，强迫各纱厂低价将纱卖给花纱布管理委员会，并控制棉花之购买与配售。总之，凡是生产上不能独占的，便行贸易上的独占，独占的目的是与民争利，利用政治力量使人民无法经营，官僚资本唯我独尊。第三，国民党国营企业实际上是以人为中心的，并无合理的隶属系统，例如抗战时贸易委员会属财政部，矿产出口归资源委员会，而桐油、猪鬃出口则归中央信托局，这一切都没有道理可说。只不过是迁就人事系统，采取分赃方式。大致来说，全国的国营事业以蒋介石为中心，其下则有三大家族，各大企业之中，又以依附于四大家族的财阀官僚为基干，整个事业没有集中的管理，也没有系统的组织。这是家族本位，而家族又纯为一种裙带与血缘的结合，这正是一种封建统治的典型组织。国民党的国营事业也带浓厚的超经济的剥削性质，如统购统销，不仅剥削消费者，也剥削生产者。各国独占资本是剥削消费者的，中国国营事业却不但以“高价售出”政策剥削消费者，而且以“低价收进”政策来剥削中小生产者和农民，它对于生产力的发展，不但没有丝毫的贡献，反而是一种严重的束缚。例如由于桐油的统购统销，而使桐农们宁愿斫去了桐树，由于锡钨的收价过低，而使民营厂矿完全停工，这些都是我们熟知的事实。

最后，中国国民党的国营事业是与贪污腐化分不开的，这一点连国民党反动派的官僚也是自己承认的，战犯徐柏园说：“国营和规模较大的公营事业，多不免成本高，效率低，人事复杂，工作弛懈等毛病。”[1]我国国营事业的历史本不算短，从李鸿章张之洞算起，少说也有五六十年以上，但多是失败者多，成功者少，其原因半固由于帝国主义及封建势力之作祟，半亦失败在官僚主义的作风上，官僚们把办厂当做做官，丝毫没有企业精神，贪污腐化，无所不为，营私舞弊，相习成风，结果国营事业无不亏累不堪，而办厂的人则富可敌国，这种作风，自清末以迄南京国民党政府，只有变本加厉，这是过去中国国营事业的一个致命伤。

第三节　国营事业与民营事业的划分

划分国营、民营事业的标准，因各派经济学家所采取的立场不同而相异其主张：大别言之，正统学派经济学者认为国营事业范围愈小愈好，他们站在不损害私有经济的原则下，根据事业的性质，找出若干条件作为公营的标准。另一方面，社会政策及社会主义学派则主张一部分或全部经济事业收归公营，以限制或根本取消私

[1]《财政评论》七卷二期《紧缩论述评》一文。

营企业。事实上，由于近数十年来社会生产力的发展，生产事业与经济组织的复杂化，战争与经济恐慌的袭击，贫富阶级对立的尖锐化，不要说根本主张废除私有财产的社会主义学派，即在资产阶级学者中，对于公营企业之应该日益扩大其范围，亦不复有所争辩。目前各国政府所经营的事业，其种类的繁多，乃为我们有目所共睹的事实。根据梅（Stacy May）的研究，他说：现在世界上各种经济活动，几乎没有一种没有政府在那里经营，如把各国中央与地方政府的企业列成一单，它包括的项目至少有：铁路、轮船、轮渡、运河、长途汽车、电车、无线电台及广播、邮电、电力厂、自来水厂、瓦斯厂、暖气厂、排水渠、屠场、冷藏场、钢铁厂、兵工厂、火药厂、被服厂、毛织厂、面包厂、酒类酿造及贩卖、制冰厂、火柴厂、卷烟制造及贩卖、毒物制造、樟脑制造、美术用品、马具制造厂、街道修造场、砖瓦厂、建筑设计工程、矿场及石场、油井、土地、农场、牛奶场、橡胶种植、葡萄园、仓库、银行、保险、典当、彩票、商场、药房、洗衣作、告白张贴业、旅行社、旅馆、戏院及电影场、娱乐场、浴场、温泉场、赌场、博物馆、图书陈列馆、实验馆、医院、殡仪馆、坟地及火葬场等等。梅的研究是指苏联以外的各国情形而说的，如果包括苏联在内，则国营企业的种类自然更要广泛。事实上，梅所提出的项目并不完备，他所遗漏的还很多，例如航空公司、飞机制造场、造船所、港口等等，他都没有列举进去。这些都说明了除苏联以外，资本主义各国家对于国营企业的范围无不日益扩大。至苏联及东欧新民主主义国家国营事业范围之广，当作别论。

我国在新民主主义经济体系之下，初期必须允许民营事业之存在，而且还要鼓励其发展，这是客观环境所规定的。但这种国营与民营的范围究竟应该怎样划分呢？根据一般的意见，大家认为国营企业应根据如下的原则：

一、锁钥事业，有关于国家经济命脉者，应归由国营。这里所谓锁钥事业，应包括重要矿业，重要冶炼业，机器制造业，基本化学工业，动力工业，重要交通运输业，重要金融业等（如银行、信托公司等）。

二、为国防直接需要的重要军需制造工业，最重要的如兵工业，飞机制造业，战车及军舰制造业等，这类军备工业不但事实上为个人能力所不克举办，理论上亦不应由私人来举办。

三、须由政府统筹或统制的重要事业，这里面包括铸造货币，大宗的进出口贸易，国内大规模的商业。在国民党反动政权时代，除造币外，大宗进出口贸易，如易货之归伪中央信托局，桐油之归伪中国植物油厂，矿业归伪资源委员会，亦已开政府经营之先例。至于粮食、面粉之归粮食部经营，蚕丝之由中国蚕丝公司，纺织之由中国纺织建设公司，均为轻工业公营之著例。但国民党统治时代这些国营事业名为国营实则由少数豪门资本所垄断。我们所反对的是官僚资本的垄断，并不是反对这些“私人财力所不及，而又为国计民生所急需的企业”之应该收归国营。

四、独占性的公用事业，如邮政、电报、市区交通、电灯、自来水等均属之，这类事业，不但有关人民的公共利益，且其性质亦宜于独占，故应由中央或地方政府所公营。

五、为国营事业所必需的原料及其他器材制造工业，国家从事制造其自身所必需的物品，这本是很合逻辑的，例如印刷厂，电信事业所必需的电瓷及电池厂等等。

六、凡与赢利目的不相符合为私人所不愿做而与国计民生有重要关系的事业，例如森林、垦殖、港口、河道、灌溉、堤防等属之。这类事业有的为私人财力所不及，有的私人根本不愿去经营，故应由国家来经营。

七、有迫切需要而规模庞大，私人不易举办的事业，例如大规模的造纸厂、炼糖厂、水泥厂等等均属之。这类工业在资本主义发达的先进国，本由私人举办，不需政府经营，但在我国，因私营工厂的出产，远不足以供所需，政府为求自给，亦可自行举办，但以不与民争利为原则。

八、在政治上及文化上有重要作用的事业，如无线电广播电台、重要通讯社、代表政府的报纸等均属之。

九、寓禁于征或与重大财源有关的专卖事业，前者如烟酒专卖，后者如食盐、烟酒、专卖等属之。

除了上面所列举的以外，其他事业自以民营为原则。然而这也不是说除上面所列举的以外，完全不能够国营。在新民主主义经济中，除国营与私营以外，尚有合作经营一种，合作经营狭义的是指小生产者的工业合作，广义的则包括公私合作与劳资合作的一切工业经营。刘宁一先生在《解放区工业政策》一文中说：

毛泽东在《论联合政府》里说："按照孙中山的原则与中国革命的经验，在现在阶段上必须是由国家经营、私人经营和合作经营三者组织的。"又说："在新民主主义的政治和条件获得之后，中国人民及政府必须采取切实步骤，在若干年内逐步地建立轻重工业，使中国由农业国地位升到工业国地位上去。"毛泽东指出了中国工业的三种形态，和中国人民与民主政府必须逐步建立轻重工业。

解放区工业的公营、私营及合作经营的三种形式均为解放区工业的重要组成部分，公营及合作经营的工业部分，是在抗战过程中建立并发展起来的，当时抗日根据地处于农村交通不便及被敌人分割封锁的环境下，为坚持抗战，解决部队及人民的需要，在极端困难条件之下，政府自己建立了公营工业，并帮助人民建立了合作工业，同时也帮助人民发展了私人工业。这些工业在当时条件之下，多数是小型手工业作坊及家庭手工业，也有中型的手工场，但为数不多。

抗战胜利后，解放区由农村扩大到许多小城市，若干较大城市与相当数量的矿区，在这里或多或少有近代化工业的基础。因此解放区不只有中小工业经营，也有较大的工业经营，同时公营、私营与合作经营的工业数目也增加了！现在解放区除手工业之外，近代工业的恢复与建立，又提到工作日程之上。解放区民主政府感觉到：政府从事大规模各种轻重工业建设时，必须动员解放区人士大资本家通力合作，并且经过了多年经济建设的基础所获得的经验，现在已有这种可能，于是改变若干公营工厂为私营或公私合营工厂。例如晋察冀边区政府已决定将公营较大工厂二十四处，转让于私人或吸收私人投资成为公私合营。

由这看来，公营工厂改为私营或公私合营，是更加促进私营工业资本主义工业的发展的。并且解放区政府对于私营工业与公共合作经营的工业同样待遇，在政策上予以各种各样的帮助与保护，更使私营工业、资本主义工业，有发展的条件。这和中国法西斯封建独裁政权及官僚买办资本，束缚、压迫民族工业，是完全对立的。

又在冀中解放区工业会议上决定："国营工业应着重经营群众无力举办与国计民生有重大关系的大型企业，对机关部队合法经营的工厂作坊必须帮助其发展"，"国营工业的经营方针：甲、发展国营工业必须有一定条件，条件好就发展，条件不允许就少作或停止；乙、整顿经营与管理方法，对各行业发挥领导带头与扶助作用，不能形成垄断或限制其他工业的发展"。

在华北区工商业会议上也主要地讨论了国营与私营的问题："对公营私营工商业间的关系问题：会议明确指出公营经济与私营经济，都有大大发展的必要。公营经济并应有计划地帮助私营经济的发展，因此会议具体地规定了下列各点：第一，除军火工业及具有操纵国民经济或独占性质与私人所不能经营之工业外，其余工商业，均准许私人经营或公私合营。公营工业是集中力量举办重工业、军火工业、机器制造工业、重要工业的原料、器材制造工业等，在轻工业方面，国家主要经营私人财力所不及而又为国民生计所急需的企业。第二，公营商业是为解放战争与人民生产服务，政府不要公营商业负担财政任务，公营商业的具体任务在于掌握并稳定与国民生计有关的主要物资的价格，推销工业、农业与副业生产品，供应人民必需的生产资料与生活资料。第三，由政府依法赋予公营企业以一定的权利，如军火工业的专营，军用品的统一采购，国家银行发行货币，管理银钱业，管理金银与国民党法币、外汇等。第四，公营企业应积极帮助有益于国民经济的私营工商业，国家银行应按实际需要与可能对有利于国计民生的工商业举办贷款，便利私营工商业向外购买必需的原料与工具，公营商店并应在各主要城镇设立物资调剂机构及门市部，供应私营工业以原料器材，公私交通事业的运价应有利于工业商业发展。”

这些规定，在原则上大体是正确的。可以值得注意的是：新民主主义经济虽然以国营为其终极的目标，但在初期，为了发展中国的工业，使生产提高一步，它们的领导重点宁采取公私合营或暂时私营的方式，而且这种国营事业，除了业务上分工的专业特权以外，不应该享受与其他私营企业不同的其他的特权，例如钞票发行、国防工业，均应该归国家独营，这种特权是私人企业所不当有的。（本节材料，乃采取解放区较初期的资料，自全国各大都市次第解放后，情况已有多少不同，许多新材料都来不及补入，特此声明。校时附识。）

第四章　国家行政收入

行政收入为国家因执行政务之结果而得之收入，它的性质介于经济收入与租税收入之间，普通多指规费收入而言。行政收入之别于国家经济收入的是在于这种费用的征收乃本于公法上强制的权力，即依单方的标准而决定的，这和根本立足于相互平等，含有互惠性质的私经济收入性质稍有不同，行政收入之别于租税收入的是在于这种收入是人民对于国家或地方政府因事务或利益，有劳公家的动作或私用公家的营造物时，所缴纳的费用，故与根据国民一般的报偿主义所强制征收的租税不同。不过各国的收入制度，国各不同，往往有名为租税，而实则其性质等于规费的，也有形式上为私经济收入，而实为一种行政收入的。所以一种收入究竟是不是行政收入，这是要看它的性质，究竟具备不具备“规费”

的条件，合于是者为行政收入，不合于是者为非行政收入。究竟规费的条件是什么呢？我们可以说规费是国家或权力团体为私人执行一种特殊行为时所获得的特殊报偿，因此，规费的征收，如没有国家或权力团体的行为，则无所谓规费。故规费成立的第一个条件，是它必须伴随着权力团体的行为，但国家或权力团体的行为，种类极伙，并非各种行为，都可以发生规费，故规费之第二条件是这种国家的行为，必须对于私人给予一种特别的利益，或免除一种一般的禁止，或保护一种既存的权利或身份，及补助其权利之行使；换句话说，则因特殊利益而私人始促使国家行为之执行，规费才能成立。最后，规费必须是对于国家行为之强制的特别报偿，因其是一种特别报偿，故与一般报偿的租税性质不同，又因其为强制的，又与基于自由契约的一般给付之私经济收入有别。以上是原则上的说明，兹举一例以明之：医生为了执行职务必须向主管行政机关（例如卫生部）注册，他就得缴纳注册费，这种注册费就是规费的一种。它与租税性质不同，但和私经济的收入如邮政或电报费亦不同。为了医师注册，国家须执行登记及发证的行为，注册者则获得一种身份的证明，使他有执行医生的权利。所以它一方面是国家的行为，另一方面它给私人以一种特殊的利益，医生所缴纳的注册费是对于注册行为之一种特殊报偿，但这种注册费之多寡，则由政府方面所单独决定，而且为强迫性的，对方并无置喙之余地。

决定规费费率的标准有二：一是根据费用，即以政府执行此种行为时所需要的费用为标准；二是根据利益，即以私人因政府之行为所受的利益为标准。根据第一种标准，则对于同一种类的行为，应收同样的费用，根据第二种标准，则因各个人所受的利益不同，故各个人所纳的规费，也随之而异。不过所谓政府执行该项职务时所需要的费用，它的范围如何，这是很难确定的。如果包括一切的费用，则官吏的薪俸，厅舍的营缮费，以及办公的经费，均须一一划出一部，使其分担，但对官厅的特别行为，如此划分费用，根本是不可能的事。至视个人所受利益之大小而征收不同的规费，这更难期其公平，因为利益大小很难有客观的标准，如此征收规费难免因主管者主观之好恶，而高下其费率。因此，近世学者，多主张对于同一种类的行为，课以同一的费用，这就是所谓定额规费，不过事实上，定额规费的费率，亦未必能本诸费用之多少，大多是超过其执行时所需要的费用的。

美国资产阶级财政学者塞里格曼以为政府所取的费用，如果超过其执行时所需的费用，这便是租税而不是规费。这种说法，我们认为是不对的，因为租税与规费的划分自有其明显的区别，租税乃基于一般报偿之原则，而规费则基于特别报偿之原则，这种原则上的区别，并不因其征取过否而消灭，政府对于行政，操有独占的统治权，如果他运用这种独占权，以补充政府的收入，则其所得，仍为行政收入，而非租税收入；而且政府执行某项行政工作时所需之费用，很难精密计算，它的是否超过，初无确定的标准之可言。

规费收入的方法，有直接与间接之分，前者即直接征收现金，后者则由纳税者在文书上贴用印花或使用印有印花之印纸，这种方法亦称印花征收法。两法各有短长，以现金征收规费，则征收时不得不多设官吏，或设置特别官厅，因而会计繁杂，经征费因此增多。但另一方面，则征收确实，无脱漏之虞，且可使其与国家行动的费用或价值，恰相适应。故当个别的对于特殊事件征收规费时，或征收巨额的规费时，以直接征收法为适宜。反之，当国家行动，只据简单的标准，规定等级而征收规费时，则以贴用印花法为方便，因为用这种方法，不但会计简单，减少征收费用，如其规费费额甚少，自公众方面观之，亦属利便。但在另一方面，贴用印花，难免伪造，误用，或逃避，这是它的缺点。

规费既随国家的行动而发生，而国家行动，一般的可分为立法、司法、行政三者，不过在立法方面，无直接对于特殊私人发生关涉的，故规费亦无由而生。因之，规费唯司法与狭义的行政有之。司法规费如审判费、执行费、抄录费、各种登记登录费、造产管理费等等均属之。行政规费随外务、内务、财务、教育及经济等行政而产生，如检定费、证明费、护照费、商品检验费、检定度量衡费、特许费等等属之。也有以司法规费与行政规费之重要区别在于司法上的国家行动乃在维持法律秩序，规整法律生活，故以国家社会的利益为主；反之，行政的规费，则国家行动，以增进个人利益为主，直接不及于国家社会，只因个人利益之增进，结果亦可促进全社会的发展。(见日本小川乡太郎著之《财政总论》)这种区别，我们认为是毫无价值的。在资产阶级专政下，国家利益即资产阶级集体的利益，个人利益，乃个别资本家的利益，两者本质上实无区别。即如以司法规费中之民事诉讼规费，何尝不以保障私人权益为前提，他如遗产登记、土地登记等等规费，更明显的为个人之利益，更露骨的说是为保障有产阶级个人私有财产的利益，所以据以来区别司法规费与行政规费是不能成立的。

规费的收入，全部皆应归之于公库，这是现代世界各国的通例。但在古昔时代，亦有以规费收入之一部或全部，归之于执行此种特别行为的官吏，作为报偿的。这种制度影响所及，常使执行官吏，因缘为弊，滥取规费，饱入私囊，所以近世国家，对于官吏薪给，类有规定，规费收入，只能以之用于机关的开支，有余则须转缴国库，决不能听凭执行机关任意处置的。

第四编　租税总论

第一章　租税的本质及其发展

第一节　租税之史的发展

租税，是资本主义国家收入主要的来源，亦即国家为维持其统治权力而向人民强制征收的一种费用。租税乃国家成立以后的产物，即随国家的产生而产生的。在原始共产制的社会，人们在其共同生活中，对内既无权利与义务的划分，财产亦无公的与私的区别，此时自无租税发生的必要与可能。待氏族制度的末期，渔猎与畜牧的社会开始以后，继之以私的耕作，家庭手工业随之而发达，这时期他氏族或氏族内之私的生产者对于本氏族或其酋长之无偿的贡献，与酋长对彼等而设之命令的贡赋，相并发生，即成为实物及劳役租税的滥觞。迄后因氏族制度的解体，各部落间战争的频繁，遂使集中权力的统治机关日感重要，同时为维持此种统治机关的费用亦益趋增加，故租税制度的发生，一方面表示氏族社会之崩溃与社会阶级之形成，另一方面则表示社会生产力的相当发达与现代文明的诞生。如果社会生产力过于低下，个人劳动仅能维持他个人的生活，租税的发生是不可能的。当社会经济发展到了封建社会，土地为最主要的生产手段，土地之支配权属于领主，从事耕作者为农奴，表现领主与农奴生产关系之物的形态为封建地租，封建地租虽有租、贡种种形式的不同，但其为土地的剩余生产则一，当时的主要财政收入为地租收入，故财政学者称这时期为官有土地收入或土地收入时期。嗣后因交换的扩大，商业的发达，货币亦随之而产生，货币经济发展之后，土地可以买卖，可以抵押，这时封建社会逐渐变质，新社会的种子已孕育于封建社会之中。这一变质的过程表现在：一方面为封建制度权力基础的武士组织扩大而变质，即由于武器之改良，与货币之发达，使武士组织变成佣兵制度，结局使封建诸侯的财政日趋穷困。其次，为封建制度社会生产之基础的乡村农民与为封建诸侯消费根据地的城市市民，他们的生活均起特殊的变化，即由于社会生产力的发展而破坏了严格的封建规约，乡村中产生出许多独立生产的农民，城市中则有大商人与独立手工业者之产生。交换过程之发展更加速这种变革，即由于市场的扩大，货币流通之成为一般的现象，使货币资本大量地蓄积起来，这种资本的蓄积表示都市对诸侯的独立。各地诸侯的穷乏，迫使诸侯为了货币而一时或永久地出卖其权力，因此，封建社会的末期，适成为近代租税制度之温床，因为这时一方面有征收多额地租的诸侯，别方面资本主义化的商人、高利贷者与货币资本家逐渐将地主及寺院化为自己的代理人，化诸侯与农奴的主从关系为货币关系，这时各种营业允许税、各种关税、入市税、矿税次第产生，这表示诸侯原有的各种财产收入或土地收入变质而为货币收入，在财政上即由官产收入变而为特权收入；同时并说明了因商业的发达，商品数量的增加，故有征收营业收益之一部分以贡献国家的必要，财政史家称这时期为特权收入时期，亦即由官产收入到租税收入的过渡阶段。

在封建社会崩溃的过程中，多数物品税、消费税，曾经大规模地剥夺国民生活的剩余，由此而产生的国家收入，遂成为货币资本原始蓄积之有力的杠杆。诚如桑巴特（Sombart）所说："我们将教皇的官房、账房，称为资本之母，这是很有理由的，因在中世纪的欧洲，现金银的最初蓄积，实由教皇的经济活动而成。"不过租税收入虽然曾经在资本的原始蓄积中起重要的作用，但租税经济在公共收入中取得了支配的地位，换句话说，即现代租税制度之形成，却不能不是资本主义发展以后的产物。这理由也是十分明显的：第一，各种租税，无论其为直接税或间接税，要不外为社会总生产中的剩余部分，租税的发达与社会物质财富的生产量有关，只有当资本主义生产方法占优势之后，社会财富才能为庞大的增加，而租税税源才能有不断的来源。第二，租税是取国民的一般负担形态而出现的，虽然在资本主义社会，所谓一般负担不过是种形式，实质上资产阶级仍能而且必然会把税负转嫁到工农大众身上，但在资本主义社会，在法律形式上是人人平等的，即人人有纳税的义务。英语 Duty 一词，既训义务，亦指税负，纳税即义务这一观念的养成，实为法国大革命以后的产物。在封建社会或奴隶社会，奴隶主与奴隶，或封建主与农奴，在法律上根本无平等之足言，故贵族僧侣及特权阶级的免税，被人视为当然，因而租税收入在当时远不及官产收入或特权收入的重要。自然我们也可以把官产收入或特权收入视为租税的一种特殊形态，但其意义与现代租税是不相同的。自法国大革命后，资产阶级不但在经济上，即在政治上亦取得决定性的胜利，人人在法律上的地位一律平等，乃为世界所公认，这种平等虽然是一种假平等，但这种假平等的承认亦不得不视为一种进步，只有这一假平等观念达到之后，租税始取国民的一般负担的形态而出现。

近代租税既为资本主义发展以后的产物，那么，在资本主义制度以前，租税在公共收入中固不占重要地位，资本主义制度消灭以后，租税亦无地位之足言，这是非常明白的事实。租税既然是资本主义的产物，各资本主义国家，因其历史的背景不同，社会经济发展的条件各异，因而其租税制度也呈现着形形色色光怪陆离的奇观。所谓租税体系（System of Taxation）正如日本财政学者大内兵卫所说，是名实极不相称的一种体系。不过，假如我们抽去他们各自繁琐的复杂性，则可以发现现代租税在种类上不外乎：一、是以收益为税源的收益课税，如田赋、房屋税、资本收益税、营业税均属之。二、是以所得为税源的所得课税，如所得税、遗产税、增值税、一般财产税属之。三、是以消费物品为税源而课的消费课税，如关税、盐税、使用税及奢侈税均属之。四、是依据财产或权利的移转与流通而课的流通课税，如交易税、印花税、登录税等等属之。前两者是一般所称为直接税，后两者则是属于间接税范围的。税制的复杂性，一方面反映现代社会经济制度的复杂性；另一方面则表示它本身是一种历史的产物，即历史演变的结果。这种演变的过程，可以说是这样的：当资本主义还在封建体系胎内的时候，一切公课可分为现物的或货币的分担（Contribution）和物产税。这些税种随着商品交换的发展逐渐增多，前者演变为人头税、阶级税、各种财产税和收益税，后者则演变为各种物品税、消费税、入市税、通过税与关税。自法国大革命成功之后，资产阶级一方面要求减轻其自身的租税负担和废除封建贵族阶级的免税特权，另一方面则力谋租税制度的简单化，至其进行的步骤，则首先是努力废止地方税及国内通过税，其次是实行各种收益税的全国统一化，特别是实行了土地制度的改革及各种营业税的整理。此外，各种物产税与交通税，也经一度的整理，不过并没有完全废除，甚至那种以间接税为公平而适合民主的要求之理论，还曾占过优势的。这种产业革命所引起税制上的混乱，经过上述过程而行一度整理以后，便逐渐构成为一个新的租税体系。这个新体系是以适应收益所得源泉种类的几种租税为中心而形成的，正与古典经济学的分配论体系相适应。

当时所谓生产要素，是决定产业性质的主要标准，它与产业部门的区别相适应，因此税制的构成，就表现了生产部门的对立。尤其是在土地税与产业税上，表现了农业与工商业利益的对立。十九世纪前半期欧洲的政争，本质上就是围绕着这两种税制而进行的。代表了农业利益的地主阶级与代表工商业利益的资产阶级，都想把租税的负担转移到对方身上，这两个阶级逋税斗争的结果，便是一般平民日用品或消耗品（食盐、火柴、食品、烟、酒、布匹等）课税的加重。但是随着资本主义之发展，社会各阶层财富的不均愈形扩大，同时，近代劳动者的觉醒与团结益趋进步，于是对于日用品的消费课税，便激起了政治上的激烈反抗。这样在十九世纪中叶的宪章运动（Chartist Movement）以后，首先由英国的皮尔（Robert Peel）与格雷斯东（W. Gladstone）实行了废除谷物条例，创设了所得税，加重了继承税。这正足表示着经济自由主义的世界高潮，是所谓“从对物税到对人税”，即走向所得税中心主义去的决定的转向的信号。可是，这种改革，仅限于资本主义最先发达的英国，欧洲大陆反苦于英国的压迫，而不能不采取农工并重的保护主义以与英国相抗衡。这些国家作为执行国家主义政策而发生的一切经费，就只有借间接税而加在人民大众身上了。

十九世纪末叶以后，世界资本主义的发展，达到了独占的阶段，即由资本主义发展而为帝国主义，财政的膨胀成为不可避免的趋势，由于财政的过度膨胀，终又引起了税制改革的要求。表示这种要求的，是英国一八九三年哈科特（W. Harcourt，1863-1922）的改革与德国一八九三年米康尔（Dr. Miquel）的改革，前者大大地提高了继承税率，开始实行累进课税，并且免除所得税中最低生活费的课税。后者除采用所得税的累进课税外，还创设一般财产税以补充所得税，并把小税源让给地方团体。嗣后法、意各国亦起而仿效英、德，不过法、意之资本积蓄远不及英、德两国之速，因而其帝国主义政策的经费负担，不得不较多地取诸间接税的加重与专卖品的扩充来补充。到了一九〇九至一九一〇年，各国的财政，更彻底向着帝国主义的财政发展，因而税制又引起了新的改革的要求。塞里格曼说，这个时期世界税制改革的特征，可归结为下述四点：一、所得税和继承税的普及与扩大；二、土地课税的改革，尤其是土地增价税的创设；三、间接税的增加；四、中央政府与地方政府财政关系的愈趋密切，即税源向中央移转，补助金向地方扩张。

第一次世界大战，使交战国的财政陷于紊乱，税制也于这时期暴露出空前的破绽。即以战争为契机的社会经济矛盾之爆发，也表现为税制矛盾的爆发，各国对于巨大的战时爆富者课以战时利得税，来粉饰租税制度的表面，但对于那些因通货膨胀物价腾贵而天天感到生活威胁的大众，则日益加重其租税的负担。英、德、美等国对于最低生活费免税点的降低，对于货物、乘客的运费，流通税以及一般消费税的提高，尤其是借奢侈品名义增征输入关税与内地消费税等，这一切都是政府立法之直接的阶级政策的表现。但事实上，各国的税收，在实质上并没有因这种租税政策表现什么增加，其结果是巨额的战费，不得不依赖公债发行来支持了。所以在战争的末期，除了日本、美国那样近乎中立的国家之外，其他主要交战国的财政，都成为公债本位的财政，而濒于破产。甚至在战争结束之后，战争所引起的财政问题，也并没有解决，依然长年累月地拖延下去，第一次欧战后战债问题之所以引起西欧各国的苦恼，即是一个明证。但是帝国主义的发展过程本身便是一个制造战争的过程，在第一次欧战结束之后不过廿年，第二次世界大战即又爆发，在战争中造成税制的更加混乱，这又是毫不足异的了。

由上可以明了租税的发生、发展及其转变的过程，不但是今日这一驳杂的体系是历史发展的产物，即租税自身也是历史的产物。社会经济条件的改变，租税制度自必随之而改变，而且当将来资本主义制度消灭以后，租税也会成为历史上的陈迹，而与“国家”一样成为古物陈列所的古董了！

第二节　租税的涵义

租税的本质及其史的发展既已明白，对于租税的涵义，本已无须加以解释。不过过去一般财政学书中，对于租税的定义，多辟有专章，兹从通例，亦特加诠释：

第一，租税是人民对于政府经费所需要的分担（Contribution）。塞里格曼在其《租税论丛》（*Essays in Taxation*）一书中，对于租税的定义，特别着重这一点，即认为租税是一种强制的负担，其中并无所谓权利之给予，这是租税与其他行政收入根本不同的一点。他如华格纳、柏斯脱白尔亦作此主张。华格纳下租税之定义曰：“租税是国家及其他强制团体，以支给一般经费之故，运用其主权，根据一般原则及标准，强制的令其分担的分课。”近世租税观念，含有“分担”之义，这与昔时的租税利益说或保险说比较，不能不说是认识上的一大进步。租税利益说（Benefit Theory），德国学者亦称租税交换说（Tansch theorie），盛行于十七八世纪，其说之论据谓国家之成立，乃由于大众之公共需要，而其行动，复有益于公众，故租税乃人民对于国家行动或国家利益所支付的一种代价，此种理论亦有称之为代价说（Price Theory）或等价说（Equavalent Theory）者。它发达于盛倡人权之时，哲学家如霍布斯，财政学家如比芬通夫均主之，至十八世纪卢梭之《民约论》出，乃集其大成。因为依据《民约论》的见解，国家乃由契约而成立，个人利用国家之保护，应牺牲一部分财产，以购买这种利益，租税的成立，即为购买此种利益的代价，故租税实与一般的买卖契约无异。卢梭的《民约论》，无疑地是十八世纪专制主义的反动，它在资产阶级的勃兴中，曾起很大的革命作用。但这一理论完全曲解国家的本质，其为错误，世有定论。基础于这一理论上的租税利益说，自亦无成立的价值。此外尚有租税保险费说（Insurance Premium Theory），其错误与利益说亦相同：保险费说认为国家相当于保险公司，人民为被保险者，而租税，即人民为其身体财产等等的安全保障，所缴付于国家的一种保险费用。此说之著名代表者为法之提挨尔（L.

Thiers）、孟德斯鸠，意大利之费里（Pietro Verri）诸氏，此说之曲解国家性质与租税发达的历史，与上说同，兹不具论。

近代对于租税的观念，与此不同，近代以租税乃国家因维持其统治权力（或美其名曰因公共职务的需要）向人民强制征收的货币，故不问国家对人民的利益为何，而只认为国家有此需要，人民即应缴纳，此在人民为一种负担，在国家为一种强制，其中并无特别报偿关系的存在，这种理论与交换说或保险费说之视租税为支付特别利益之报偿，立足点是完全不同的。

第二，租税为国家分课于其所统治者之强制负担，租税为国家所赋课，然不但中央政府可为课税的主体，即其他地方政府亦得为课税权的主体。同时凡一切非政治权力组织的公共团体，则不得为租税的征收。即令这种公共团体对于团员有所征课，如政党对于党员征收费用，但这是党费而不是租税。又此处不称国民而称所统治者，因征税不必限于本国人民，凡在其国家统治权力之下者，政府莫不有向他征税之权，例如各国对于外侨在本国境内经营工商业，一律须向之征收租税，决不以其非本国国民而有例外也。

租税为强制负担，乃近代资产阶级学者所公认，近代有主权的国家，皆得运用租税权，向人民强制征收，这是租税与其他国家私经济收入性质根本不同的一点。近世资产阶级财政学家对于租税所下之定义，莫不含有强制一词，亚当士谓“强制”之义，系指法律上之强制，如征收之数目，课取之方法，缴纳之时间，均由政府单方面决定，按照宪法之规定，乃以合法之手续出之，不须取得纳税者的同意。其实所谓“合法”云云，亦是资产阶级专政的别名，因为谁也知道，无产阶级在资本主义代议制中，是没有发言权的。总之，租税乃统治阶级利用国家名义运用强制权力以向被统治者征收的一种货币。

把上面所说的总结起来，近代资产阶级学者对于租税所下的定义，归纳如下：

租税是政府为维持其统治权力，充给其一般费用，用租税权向其被统治者所征取的强制负担。

这一定义，虽然大体上是正确的，然而它已把征收租税披上了一件合法的外衣，所谓“租税权”便是。根据我们对于租税本质的认识，租税的正确定义应该修正为：

租税是统治阶级为了维持国家的统治权力充给其必须费用，向被统治者所征收的一种强制的负担。

第三节　租税术语的诠释

在租税学上，有许多专门术语，为我们研究租税的理论与实际时所不可不知的。兹择其最重要者加以诠释如下：

一、租税的主体（Subject of Taxation）　租税之主体，有法律上的与经济上的之区别，法律上的主体，即依法律而完纳租税之人，经济上的主体，则为经济上（或事实上）的租税负担者。前者亦称为纳税人（Tax Payer），后者则称为担税人或负税人（Tax Bearer）。举例明之，盐商虽有完纳盐税之义务，但他可以把盐税加之于盐价上面，使盐税的负担，转嫁给盐之消费者，故名义上为盐商完纳盐税，而实际上是由消费者所负担。此纳税者不必即为负税者之例也。然纳税者与负税者亦常有属于同一人的，如薪俸阶级或工人所完纳的所得税，纳税者负税者即同于一人，因薪俸阶级或工人不得以政府征收所得税之故，请求其主管机关或雇主增加薪金或工资也。

二、租税的客体（Object of Taxatien） 租税的客体即指课税的物件而言，例如土地税中的土地，所得税中的所得，营业税中之营业额，皆为课税之目的物，此即指租税的客体言。课税物件的职分有二：一以示税源的所在，及原因结果的关系；一以示显著的目标，以明税源之所在。例如地租的税源为土地的收益，其课税目的物则为生此收益的土地；有时税源即为课税的目的物，例如所得税的税源即课税目的物，即同指经济上的所得而言。

三、税源（Sources of Taxation） 税源即租税所自出的来源，在资本主义社会，税源不外为工资与利润（包括利息、地租、企业利润三者），而利润乃来自剩余价值。所以无论是工资或利润，租税都是由工农大众所生产，并由他们来负担的。

四、课税单位（Unit of Taxation）及税率（Tax Rate）

课税单位是以一定的数量，表示课税物件而为计算税额多少的一种基础，例如棉花的课税单位为每百斤，麦粉的课税单位为每一包，课税者对于此种单位所赋课的金额叫做税额（Tax Amount），例如麦粉统税每包征收银一元，此即其税额。若以百分法指称之，则称税率（Tax Rate）。例如海关对某项物品进口税的税率为值百抽十，所有的从价税，多按税率计算的。然就广义与习惯言，则常合税额与税率两者，均称为税率，以此税率乘以各个人所有课税单位之合数，则得个人应纳税额了。

五、课税基本（Basis of Taxation） 为计算课税物品应行纳税的基本，如财产税以财产价值为课税基本，所得税以所得数为课税基本，收益税以收益数为课税基本。通常以货币计税，故课税基本亦为货币数；若用实物缴纳，则此物之数量为课税基本。

六、定率租税及配赋税（Rated Tax & Apportional Tax） 定率税乃依照定率法而征收的租税，定率法为租税征课方法的一种，乃政府预先确定课税标准及税率，按课税单位课以一定税率的，其收入总额，实际上非向各纳税者征收之后不能确定，然各纳税者，则可预计其应纳之税额。配赋税为依照配赋法而征收的租税，即政府仅以法律及预算，确定课税物件及收入总额，依平均之标准率，而分配于各下级地方团体，再由地方团体分配之于各纳税者，故政府虽早已确知其收入总额，然纳税者一己所应负担之实在金额，则无从得而知之。用这种方法缴纳的租税为配赋税。配赋税也就是我们中国的摊派法。决定一个总数，叫纳摊税人自己摊派，就是一种配赋法。

七、从量税与从价税（Specific Duty and Ad Valorem）

从量税乃指征税税率，依货物之数量单位而规定者，如麦粉一担征税若干即是。此种税制因征收便利而又不影响税收，故为各国所采行，不过从量课税，亦必调查各课税品的普通价格，以定其所可课征之适当分数的税率。关于从量税率所采取的数量，视货物之性质单位，或以重量计（如棉花、桐油、金属等），或以长短计（如布匹），或以“打”计（如瓷器、铅笔等），至贵重物件则以斤计，笨重物品以吨计。流质品以加仑（或每十加仑）计，占面积者（如玻璃镜片）按每方尺或百方尺计，其单位随各物之性质而各别。从价税系按照货物价值征收若干成数之税。就实质上说，从量税为根据从前的货价，而从价税乃根据现在的货价，两者本无大区别。自理论言，从价之法似较公平，因货物的粗精不同，价格不一，等量齐观，未免不公，但自行政效率言，则从量课税，征收费用较少。

八、国家税与地方税（Central Tax and Local Tax）

国家税亦称中央税，为中央政府征课之租税，乃所以别于地方政府征课之地方税而言。各国为避免对于同一课税物品或同一税源，发生中央与地方两重课税之弊，故多有国家税与地方税范围的划分，这种划分标准，视各国的财政及政治制度而异。

九、直接税与间接税（Direct Tax and Indirect Tax）

直接税与间接税的区分，学者间有种种不同的意见，通常系以租税之能否转嫁为标准，凡纳税人不能将租税负担转嫁之于他人的为直接税，反之为间接税。但事实上这种区别决不是绝对的，因为租税转嫁是一个相当复杂的过程，转嫁能否成功，事先甚难确定。况且我们把租税最后分析起来，所有租税最终都是转嫁的。不过一般地说，如所得税遗产税及资本税是比较不容易转嫁的，而流通税及消费税（如关税及盐税）是被视为大多数转嫁的。

十、对人税与对物税（Tax on Persons and Tax on Things） 对人税是指以人为课税客体的租税，以别于以物为课税客体的对物税而言。对人税在古代为人头税、灶税、户税等的幼稚租税，后渐次进化而为阶级税，继之演变为所得税与财产税，换言之，即由以人为标准进到以人的所得与财产为标准的课税，近代资本主义国家多已由对物税进而为对人税，这并非因为“人”便于课税的对象，实因人税易于尺度个人的负税能力，就是说，对人税并非对于纳税人本身课税，而是对于纳税人的所得或财产课税。至于物税，亦非谓由物所缴纳，不过以物为本位，测重税之客体而课之，如关税、盐税、物产税均为对物税的主要者。

十一、单一税制与复合税制（Single Tax System and Multiple Tax System） 单一税制乃主张取消一切租税而仅代之以一种租税，此为学者的一种理论，以十八世纪法国的重农学派提倡为最力。重农学派主张土地单一税，以为唯农业有纯生产，故仅农业有负税能力，与其课诸百物而终归于农，不如直接课于地租而尽废其他一切租税之为愈，此即土地单一税之论据。此外并有主张单一消费税，单一资本税，或单一所得税者。事实上，现代各国的租税制度无不由若干种租税所合成的租税体系，即无不是实行复合税制的。

十二、一般税及特别税（General Taxand Specific Tax） 凡充当一般经费之用途者为一般税，亦称普通税。凡充当特别经费之用途者为特别税。各国新创办之租税，往往有指定为专作某种用途者，故特别税一称目的税，如英国为救贫而课征之救贫税，最初即目的税之一，但后来因成效卓著，现已作为地方税收，此即由特别税演变而为一般税的一例。我国的屠宰税最初亦指定为教育经费，后来亦充一般的用途；亦为特别税演变为一般税，类此之例，在财政史上是不胜枚举的。现在各国的租税多为一般税，因为在统一预算制度之下，特别税自无存在的必要与价值了。

十三、经常税与临时税（Permanent Tax and Temporary Tax） 这是以课税之有无继续性为标准而划分的，凡在每一会计年度中有规则的依时继续征收的租税，统称经常税。这是供国家经常支出之用的。反之，其赋课仅限于一时，不必在每一会计年度中实现，仅当国家非常时期特别征收的租税，称临时税，如我国廿九年举办的非常时期过分利得税即临时税之一例。有若干租税本为临时税，后竟变成经常税者，在财政史上亦不乏先例，如我国业已废除的厘金，初本为临时税，乃咸丰时创办以供镇压太平天国革命的军饷，事后并未停止，反日益发达，成为残害民族工业之重要税源，到了民国二十年才正式裁撤。

十四、比例税与累进税（Proportional Tax and Progressive Tax） 比例税与累进税的区别，乃关于税率之变动问题。比例税乃定一课税之标准，不论其课税物件的多寡，皆课以同一的税率，累进税则异是，它是依课税物件的多寡而高下其税率的，例如所得税，若为比例税，课所得额百分之四，则对于一千元之税额为四十元，一万元之税额为四百元，税额虽异，税率实同。若为累进税率，则对于所得额一千元者课百分之四，一万元者课以百分之六或百分之八，累进税不仅税额异，即税率亦不同，简单地说，两者的区别，在于税率，一为均一，一则差别。

十五、超额累进税与全额累进税　超额累进税为超过一定之数额在超过额上加以累进，全额累进为全部加以累进。前者仅在超过额上，逐次增加其税率，例如定额数在五百元以内者，征课百分之一，超过五百元不满一千元者，其超过额课以百分之二（未超过之五百元，仍征百分之一），超过一千者，对其超过额课以百分之三（未超过部分，按原税率征课），此种累进，计算麻烦，但较为公平。全额累进，即普通之累进课税，例如五百元以内征百分之一，五百元以上至一千元课百分之二，一千元以上至二千元课百分之三，全部累进，此种累进法，在累进交叉点上易起以多报少之弊。

第二章　论租税的体系

举各种不同的租税，使之成为一有系统的组织，叫做租税制度或者租税体系。世界各国莫不有其租税体系，而任何一种租税体系又是历史的发展之产物，决不是自由选择的理论的结果。租税体系是决定于一社会的经济基础与经济发展条件的，有怎么样的经济结构，便有怎么样的租税体系。历史的与经济的因素是决定一切国家租税制度的条件。农业国家的租税体系不同于工业国家的，殖民地的租税体系又不同于资本主义先进国的，这是由于经济发展条件的不同。但同为资本主义国家，英国不同于德国，日本又不同于英德，这是历史的发展使然。不过就经济的与历史的两个因素来说，则经济条件是主导的，历史条件是次要的，现代各国的租税制度，就其表面上看是极其纷歧的，在杂乱并陈的各种租税中，几乎使我们对于各国税制的比较研究为不可能。不过，假使我们抽去其小异的特殊性，则可以发现在资本主义国度里，租税自有其一定的典型与一般的发展倾向存在。其小异，是各国历史的发展条件不同；而其大同，则为资本主义经济基础的必然性所规定的。日本大内兵卫氏在其《财政学大纲》一书中，曾经就各资本主义国家的租税体系，就其共通所有的典型，列表如下：

大内兵卫这一租税体系的表式，就日本来说，可以说是完备的，但有几点可以批评的：一、他把劳动收益税列入收益税范畴之内，收益税在本质上是对物税，但劳动收益税却分明是人税而不是物税。二、支出税是属于间接税性质的，但直接消费税中如使用税与奢侈税却不是间接税，因为这是不能转嫁的。三、地方税与国家税的划分标准，随各国所采取政制的不同而相异，大内兵卫的表是以日本的国地划分为标准的，各国制度殊未可以一概而论。[1]

[1] 三十五年七月二日国民党反动政府修正公布财政收支系统法中课税分类如下：

甲　中央税

一　所得税　包含分类所得税及综合所得税。

- 租税
  - Ⅰ 收得税（直接税）
    - （A）收税税（物税）
      - 1 地税
      - 2 营业税、营业收入
      - 3 房屋税
      - 4 资本利息税
      - 5 劳动收益税
    - （B）所得税（人税）
      - 1 一般所得税
      - 2 公司税
      - 3 继承税、赠与税
      - 4 增价税
      - 5 一般财产税
  - Ⅱ 支出税（间接税）
    - （A）消费税（物税）
      - 1 国内税品税（财政专卖）
      - 2 关税
    - （B）直接消费税（物税）——使用税及奢侈税
  - Ⅲ 流通税（准间接税）
    - （A）交通税（物税）
      - 1 交通税
      - 2 通信税
      - 3 运输税
    - （A）交易税（物税）
      - 1 商品交易税
      - 2 证券税（印花税）
    - （A）登记税（人税）
      - 1 财产登记税
      - 2 资格登记税
  - Ⅳ 流通税（直接税）
    - （A）府县税
    - （B）市村镇税
      - （A）府县税 国税附加税
        - 收益附加税
        - 所得附加税
      - （B）特别税
        - 财产收益税
        - 杂项税
        - 特别课征

从上表中我们可以看出近代资本主义国家的租税，

二 遗产税

三 印花税 指交易凭证、人事凭证、许可凭证等证明文件依法贴用之印花税。

四 特种营业行为税 谓银行信托保险交易所及其他以法律规定之特种营业行为税。

五 关税 谓由海、陆、空进出国境之货物进口税及海港之船舶吨税。

六 货物税 对国内货物及国外同类进口货物依法应缴之税。

七 盐税

八 矿税 包括矿产税及区矿税。

九 营业税 在院辖市总收入中至少占30%。

十 土地税 在省县局总收入中占30%，在院辖市总收入中占40%。

乙 省税

一 营业税 总收入50%。

二 土地税 总收入20%，但省应以其土地税之一部分补助贫瘠县、市、局。

丙 院辖市税

一 营业税 至多占总收入70%。

二 土地税 总收入60%。

三 契税

四 遗产税 由中央分给15%。

五 土地改良物税 在土地法未施行区域为房捐。

六 屠宰税

七 营业牌照税 谓戏院、旅馆、酒楼、茶园、饭店、球房、屠户及其他依法应征收之营业牌照税。

八 使用牌照税 谓舟车牌照税及其他因使用地方公有财产应征之牌照税。

九 筵席税娱乐税

丁 县市局税

一 营业税 由省分给50%。

有对人税与对物税，有直接税与间接税，有的课自所得，有的课自收益，有的课自消费，有的课自流通。这样四面八方来捕捉税源，自然可以使任何一个经济人或任何一种经济物，均无所逃避于国家之税课。这是复合税制所以存在的理由，也是单一税制不能成立的原因。这许多种类的租税，互相联系，互相组合，以成一种组织，这就称为租税体系。当然严格地说，所谓“体系”是名实不相称的，因各国租税制度无不是历史演变的结果，并非预定计划的产物。大体说来，现代租税不外乎是下列几种课税所组成的：

一、消费课税（Taxes on Consumption） 系以日用品之消费为课税对象之租税，消费课税可大别为三：一、直接消费税；二、特种物品消费税（包括专卖收入）；三、

二　土地税　总收入 50%。

三　契税　仅未依土地法举办土地登记之区域征收之。

四　遗产税　由中央分给 30%。

五　土地改良物税　在土地法未施行之区域为房捐。

六　屠宰税

七　营业牌照税

八　使用牌照税

九　筵席及娱乐税

关税或国境税。直接消费税系直接征之于消费者，例如英国昔时之马车税、男仆税、钟表税等是，属于使用税或奢侈税之性质，近代已失去其重要性。现代之消费税多非向消费者直接征收，而用间接方法，即征之于生产者或贩卖者之手，加税于日用品上，由此转嫁于消费者。故现代各国所有之消费税，多为间接税性质。此种间接税重要者有两种：一为特种货物税，课诸特种物品之上，征之于生产者或贩卖者，如我国之盐税、烟酒税、统税均是。专卖收入亦为消费课税之一种，因专卖价格内即已包括消费税在内也。二为在国境征收之关税，即课于进出口国境之货物，仍由购买者间接负担税额。

二、流通课税（Taxes on Circulation） 流通课税为对于财产或权利之转移流通或人与人间作此项行为时所课之税。当财产权利之移转，或人民之流通行为，即不必经官厅登记者，亦须纳税，如印花税、交通税即其一例。流通税可分为财产流通税、价值流通税，及普通交易税三者。它的范围甚为广泛，但普通均将下列各项除外，即 1. 手续费不列入流通税范围之内，因手续费为向官厅请求某种行为的行为费用（即行政收入），而非对于此项行为之课税；2. 遗产税及财产增值税不列在流通税之内，两者虽同有流通之事实与行为，但此为对于不劳利得的课税，故其性质不同；3. 消费税亦不列入流通税之内，因消费税基于消费的事实，而流通税基于权利的移转与行为，两者性质迥异也。我国过去租税中如印花税、交易税、牙税、契税，均属于流通税范畴之内的。

三、收得课税（Taxes on Income or Revenue） 所得税为国家对于个人或公司团体在一定时间内获取之所得或收益所课之租税。此项课税标准又有如次之不同，第一为对于所得课对物税，是为收益税（Taxes on Produce or Yield）如地税、营业税、房屋税、资本利息税是。第二为对人就其所获各种所得，分别课税，是为个别所得税，或分类所得税，如土地所得税、房屋所得税、利息所得税、营业所得税、劳动所得税等是。第三为以个人为经济单位，凡个人之一切所得，不问其来源或种类为何，依其从各方面得来之所得总数而课税之，是为一般所得税或综合所得税（General Income Tax）。后两者为所得课税，前者为收益课税。收益与所得在本质上是没有什么区别的，收益与所得之分首创自德人，谓个人收入可分为二，一为负担力强之对物的收入，一为负担力较弱之人的收入，前者为企业及资金的收入，为收益税，课之宜重，后者为劳动及人格的收入为所得税，课之宜轻。但这种区别是不大正确的，人的所得有时往往大过物的收益。不过我们可以这样说，收益课税是就人自物的收益来课税的，故为一种对物税，所得课税是直接就人的所得课税的（不问其所得为资本或劳力，为动产或不动产），故为一种对人税。两者均为直接税，但所得税按纳税人之负担能力而课征，就“有钱出钱”的原则说，它具有更确实的意义。以我国来说，房捐、田赋是收益税，因房捐是就房主对于房屋的收入为标准而课税，田赋是就土地的收益而课税的；但所得税与遗产税就是所得税而不是收益课税了。（中国之所得税尚未达到真正以人之所得为对象之对人税，但此当别论。）

总之，目前世界各国所有的租税都可以归到上述消费课税、流通课税，或收得课税的范畴中去。不过由于各国经济发展的不平衡，其倚重点甚不一致，在资本主义发达的国度里，大多以收得课税为基柱，而辅之以流通课税与消费课税，收得课税中又以所得税为中心。反之在产业发达落后的国度，则依然以消费课税为主要，而收得课税仅处于次要的从属的地位。因为如我们在前面所述，各资本主义国家租税的演进，大都由以间接税为中心的消费税逐步趋向于以直接税为中心的所得税与收益税，这是各国租税演变之必然的趋势。关于各种租税的本质及对于资本主义社会的意义，我们下面还要加以分析，这里只要指出下述一点：即资本主义国家租税的复杂性，除去其他的种种必要理由外，还有如下的理由存在，即在这复杂而混乱的租税体系中，“资产阶级获得两种利益，第一，对于无产阶级与其靠单一或少数极残酷的租税去谋求同一税额的租税，不如以二三十种不同的租税形式来征收，要容易得多。第二，资产阶级，在复杂的税制之下，比在容易监视的少数租税之下，更易于逋税。在这种见地上，德国的税制，从资产阶级的利益看来，几乎是典型的”。（Neubauer《论资产阶级国家的财政及租税政策》一文，此处自大内兵卫《财政学大纲》一书中转引。）

再就直接税中所得税的地位日趋重要，渐渐变成了各资本主义先进国租税收入的基柱来说，这是被许多学者所认为公平税制的典型，被庸俗的经济学家所讴歌为由此可以和平达到社会财富的平均化的。但事实上，却决不如此简单，假如我们进一步的观察，便可以发现所得税制度非但没有丝毫侵犯到资产阶级的利益，而且适成为保障他们利益最有力的武器。盖由于现代国家经费的膨胀，使各国财政不得不求助于社会最可靠的税源，即国民所得，在国民所得中，工资所得因其相当于生活必需品的价格，因而其可作为课税的余裕是很少的，除工资所得外，自然就只有资本利息、土地地租、企业利润三者，这三者已成为资本主义国家的主要税源，与其视为社会政策的目的，倒毋宁视为资本主义财政膨胀之必然的结局，因此所得税之成为现代各国税制的基柱，主观上并无平均财富的作用。第二，即就各国所得税的税率来说，所谓重课大所得者，所谓累进税率，其实也没有真正侵犯到资本之丝毫的利益，甚至也不会影响到资本主义之资本的蓄积。在第一次大战中英国所得税最高税率达百分之五十，第二次世界大战中竟提高到百分之九十七左右，即英国之所得税如将附加所得税计算在内，最高每镑征收十九先令六便士。但这也没有真正侵犯到资本的利益。何况这是战时非常税率而不是平时税率呢！事实上，英、美都是实行所得税遗产税很重的国家，可是英、美至今还是世界上最典型、最巨大的资本主义国家，也是贫富而阶级最尖锐地对立的国家，这就是所得税不会取消所得，遗产税不会取消遗产最有力的明证。第三，在所得税中虽有所谓最低生活费免税的规定，但这最低的免税额是富于伸缩性的，在战时各国无不把免税额大大地降低，即在平时财政困难时，亦可随时降低免税额。所谓最低生活费的免税，事实上是一句空话，各国无不已经侵蚀到工农的最低生活费，工农大众对所得税的负担是只有加重而没有减轻的。

第三章　论租税的原则

在租税理论中，租税原则的讨论是占着首要地位的，所谓租税原则论就是国家当课征租税时所应该遵守的原则。租税，就它的本质来说，本是国家因维持其统治权力而向人民强制征收的一种费用。这种强制征收，就政府方面说，必须采取较公平与道德的外衣，使人民视课税为合于正义，这才能对政府具有更重要的财政收入的意义。对人民说，有原则的课税总比没有原则的横征暴敛好些，所以对租税原则的探讨与阐扬，几与租税本身有同样悠久的历史。例如孔子说："百姓足，君孰与不足，百姓不足，君孰与足。"孟子说："易其田畴，薄其税敛，民可使富也……食之以时，用之以礼，财不可胜用也。"这都与现代保护税源的理论相吻合，但这仅可认为是租税哲理的萌芽，尚未脱政治哲学的范围，非所语于现代的租税原则论。租税原则理论的正式产生，是在十八世纪资本主义生产方式抬头以后。这理由十分简单，因为现代租税制度的发展本是资本主义的产物，亚丹·斯密为资本主义青春时代的代表人物，他是第一个意识到租税在现代国家重要性的一人，因之他的租税四大原则论，亦成为租税原则论史中最辉煌的结晶。在十八世纪以前，重商主义派理论像托姆斯·穆（Thomas Mun）尚不免于发这样的谬论："即使国民贫穷，只要国王富裕，便不能说该国贫穷，因为国王每年的收入，常常为国民的利益而使用。"法国财政学者也说："公课愈重，国民的勤勉越增。"所有这些为专制君主之课求无厌作辩护的理论，正证明着一件事情，即当时的学者都只知道从财政收入的见地来考察租税，这种理论正是封建社会之自然的产物。

另一方面，我们现在所认为最不公平的租税，即消费税，在当时却被认为最公平的租税，这是因为当时欧洲大陆的特权阶级已达到完全免税的地位，贵族的土地大半是免税的，而一般僧侣与城市富户通常也可以用金钱买得免税的特权，那么政治家与租税改良家除了征课为一般富人所不能避免的消费品外，还有什么改良的方法呢？事实上，他们的计划不仅课生活必需品的税，并且渐次课及于一切消费品，这是无论贫富都要一律负担的。这就是科尔拍（Colbert）的见解，也是从霍布斯与威廉配第起英国的间接税鼓吹家，以及德国、法国、意大利的许多学者所共有的思想。后来人们剧烈攻击间接税的不公平，而十八世纪改良家则力求单一普遍的间接税的实现。

法国大革命的爆发，就某一意义上说是平民阶级对于专制王权的苛征暴敛的答复。但在法国革命爆发以前，许多先驱的学者已经意识到无原则的课税所将引起的恶果，对于政府的聚敛政策有锐利的批判，最显著的例子便是重农主义派的创设者揆内（Quesnay）之《土地单一税论》，他主张豁免其他一切租税而仅课以土地税。亚丹·斯密之四大原则也是在法国革命前夜提出的。关于斯密之四大原则，我们后面要加以讨论，不过我们知道在斯密的《原富论》发表以前，即已有许多财政学者阐扬类似四大原则的课税原则论，例如法国之久斯提（Justi）在其所著之《国家经济学》（*Staats Wirschaft*，一七五五年出版），提出了租税之原则有六：一、臣民须纳租税；二、租税的赋课应该平等；三、租税须无害国家之繁荣及国民之幸福；四、租税组织须与国家的性质及政治形式相适合；五、租税须有确实的根据；六、租税之征收，须简单而便利。这里第一与第二个原则可以说是“平等的原则”；第六个原则，可名为“便利的原则”。意儒味利（Verri）亦提及五个原则：一、不可课税于穷人；二、征收费用须最少；三、租税在法律上须确实；四、租税不可使财富的循环因此中断；五、租税不可有害于产业的发展。

味利第一原则的精神与后世学者所谓最低生活费免除的原则相同，第二原则即为最少征收费的原则，第三原则即为确实之原则，第四第五原则，即为经济的原则。

久斯提与味利的租税原则，虽已开了亚丹·斯密之先河，但发扬光大，确立租税原则之明确的体系的，却是亚丹·斯密。他在《原富论》的第五篇第二章中，提出了课税之四大原则：

一、公平的原则（The principles of equality）

各国臣民以维持政府之故，应各比例其个人

的能力，即比例其在国家保护之下所享有的收入，而缴纳租税。

二、确实的原则（The principles of certainty）各个人应纳的租税，应当确实，不可随意变更，缴纳租税的方式、方法，以及数额的多少，须使纳税人明白了解，并使公众知悉。否则纳税人民处于征税员强势之下，征税员将对于其憎恶的人民，重加课税，或竟以恐吓的手段，要求贿赂。不确实的租税制度，足以坏世败俗，使征收员腐化。

三、征收方便的原则（The principles of convenience of payment）各种租税，当于纳税者最便的时期，及最便利的方法征收。房地税应当于缴纳房地租时随同征收，消费税随同物品征收，由消费者在购买物品时纳税。

四、征收费用最少的原则（The principles of economy in collection）各种赋税之征收，应当取之于民者，为数甚少，以够国家财用为度。

> 往往取诸于民者甚多，而入于国库者少，其原因有四：第一，征收员人数太多，则征收员薪俸将耗用租税所入的大部分，势非向人民加税不可；第二，重税足以损害人民的产业，并且阻碍人民创立事业雇用多数劳动者的计划，人民纳税过多，则是人民可以留用的基金减少；第三，赋税过重，则人民希图逃避者甚多，不幸者被人发觉，科以罚款，或以其财产充公，足使他们破产，停止事业的经营，从前他们使用资本，社会上获得种种利益，至是要受打击；第四，赋税过重，常引起人民质问征收员，发生无谓麻烦。四者若有一于此，是徒增加人民的负担而国家所受利益反少。

斯密氏的四大原则，迄今还被许多理财家所奉为圭臬。其实，斯密氏的思想不过是当时社会经济的反映，十八世纪中叶为《民约论》与自由学说风行的时代，平等的原则即根据《民约论》的交换说演绎而成的，确实的原则，乃赋课租税时要防官吏的专横，它以十八世纪最流行的自由学说为根据，最少征收费的原则乃应用从个人主义演绎出来的经济的根本主义（即以最少费用获得最大效果）于租税。至于便利的原则，则一面适用经济主义，同时有鉴于专制时代之苛征暴敛而欲谋纳税者的方便，这亦是旧民主主义的思潮之产物。由此可知亚丹·斯密之四大原则并不是他个人天才的创见，而完全是时代精神的结晶。

斯密而后，四大原则仍为资产阶级学者所推崇，认为千古不磨的真理，这是因当为斯密之四大原则之基础的时代精神，迄未有巨大的变化，然以后因为经济条件的发展，斯密的四大原则已感到不够充分，而有补充与修正之必要了。其中关于确实、便利与最少征收费的原则，到今天还少有修正，这是因为确实的原则乃出自所谓“法治”精神，资产阶级既已掌握着政权，为保证其秩序之巩固与统治的效率，为能控制资本主义社会中复杂的权利义务关系，在税收方面，不得不有明了确实的规定；便利的原则，亦正所以证明税收的丰盈，其意义本不过是对资产阶级而言的便利；最少征收费的原则，更不过为经济主义之适用，列为原则，亦无修正的必要，但这并不是排斥了资产阶级官僚集团垄断，或税收机关贪污的现实。即就平等的原则本身来观察，也大有讨论的余地的，斯密认为各国臣民应比例其在国家保护之下所享有的收入而纳租税，这是明明以《民约论》或《法律国家论》(*Rechtsstaats theorie*)为基础，亦即租税根据之“交换说”的产物。然《民约论》及《法律国家论》，在今天已不能用来说明现代的租税本质，平等原则之哲学的根据早已失去。其次，所谓“平等”，究竟怎样才算平等呢？斯密之所谓应比例其收入而缴纳租税，在阶级社会存在的今天，无论比例或累进课税都只是形式上的平等，这形式上的平等，正掩盖着事实上的不平等，收入悬殊的阶级，以同一比例而征税，即成为事实上的最大的不平等。斯密的平等原则，在当时如果是反对封建特权阶级的一种理论，现在的意义，变成维持资本特权阶级的理论了。

对于斯密之四大原则首先加以补充的是西斯蒙第(Sismondi)，他从经济原则上对租税原则加以补充。西氏谓租税之征课：一、当征自所得，不可侵蚀资本。二、不可以总收入为所得而课税。三、租税不可触及纳税的最低生活费。四、租税不可驱出资本于国外。西氏的原则多从经济方面加以补充，其为资本利益辩护的色彩，比斯密更为显著了。

德国学者对于租税原则的贡献，一方面修正亚丹·斯密的平等原则为正义原则或租税分配的原则，另一方面提倡亚丹·斯密所未曾注意的国民经济的原则及财政的原则。第一关于正义的原则，在十九世纪前半叶，德国学者如雅各布（Jacob）、马尔休士（Malchus）及劳乌（Rau）亦曾加以提倡，然他们的理论根据乃为经济自由主义或交换说，故不能视为根本改造亚丹·斯密的原则，根本改造亚丹·斯密之平等原则的，则为十九世纪后半叶以后的事，因为十九世纪末叶，资本主义制度的矛盾日益发展与暴露，经济自由主义变成了过时代的东西，社会政策的理论代之而兴，关于租税的根据理论，乃舍弃交换说而采义务说，其中阐扬这种理论的有赫尔德（Held）、诺曼（Neumamn）、华格纳（Wagner）诸氏，而集其大成的则为华格纳。

赫尔德对于亚丹·斯密之平等原则加以批判后，他自己建立租税分配的三原则：一、租税的普遍，换言之，有所得的人皆须缴纳租税。二、租税的平等，即由种种生产部门所得的租税，不问其来源如何，皆须平等课税。三、当顾虑贫富两阶级使其无害国富的增加，易言之，租税的分配，当适合于各人的能力，即一方面应不妨碍贫者的生存，一面应不妨害有产者的增殖资本。

赫尔德的普遍原则，出自亚丹斯密的平等原则而加以修正，用以弥补斯密平等原则之不足，而第三原则一方面含有社会政策之重要意义（不妨碍贫者之生存），同时又与斯密之承继者古典学派大师之一的李嘉图之意见，有互相吻合之点。李嘉图把不妨害资本的积蓄，视为课税之最重要的一个原则。他认为“所谓租税，乃是一国的土地或劳动的生产物中归诸政府处理的那一部分，因而最后终是由该国的资本或收入来支付的”，因此，在李嘉图看来，课税只能课于收入，而不应侵蚀资本，否则，资本的数量必趋减少，资本减少，则资本的生产物亦必减少，这种情形如继续下去，则国家及人民的收入源泉势必日趋枯竭，因之他认为“政府的政策，应促进人民努力增加他们的资本及所得，而决不可征课那种必然归于资本负担的租税，因为如果征课那种租税，便会损害那支持劳动的基金，因而减少该国将来的生产”。这里所谓“支持劳动的基金”实即剥削劳动的资本。

此外斯泰因（Stein）之论经济的原则，亦谓租税不可侵蚀资本，而应课税于所得，所得之课税当求其不侵蚀资本之构成力。

这种种都说明，无论是西思蒙第、赫尔德、李嘉图或是斯泰因都把资本积蓄问题视为租税原则的基准，即课税无论如何不应该丝毫损害到资本的利益，这是一个最基本的原则。但另一方面，由于资本主义生产的矛盾随着资本主义的发展而日益加深，社会各阶级的对立与贫富的悬殊已经形成极严重的社会问题，十九世纪末叶以后自由主义的思想已经动摇，资产阶级学者对于租税原则的研究不得不于财政政策税务行政等等之外，再提出了所谓“社会的原则”，即社会政策的要求，已成为缓和阶级斗争之自然的产物了。

最能表征这种社会政策之要求的典型人物是华格纳，因之华格纳的租税原则论亦是特别值得我们的介绍的。

华格纳不惟是奠定社会政策财政学的大师，同时他的租税原则论亦是集资产阶级学者之大成的，他把租税原则分为四方面：

第一：财政政策的原则

A、充分的原则

B、弹性的原则

第二：国民经济的原则

C、税源的选择

D、税种的选择

第三：正义的原则

E、普遍的原则

F、平等的原则

第四：税务行政的原则

G、确实的原则

H、便利的原则

I、最少征收费的原则

华氏所提出的租税原则，无论就形式上或内容上观察，都可以说是集资产阶级财政学者之大成的，所以后来的财政学家，非仅德国学者宗之，即英法意各国学者，亦多采用其说，而加以或多或少的修正。例如意大利学者之分课税原则为立法原则、经济原则与行政原则，而在立法的原则中，讨论如何普遍与平等，在行政原则中包括确实、便利与最少征收费三者，这都没有脱出华格纳所述的范畴。又如英国财政学者斯丹溥（J. Stamp）于所著《租税基本原则》（*The Fundamental Principle of Taxation*）一书中，认为课税应从三个观点着眼：一、个人的观点；二、国家的观点；三、社会的观点。所谓个人的观点，即纳税者的观点；所谓国家的观点，亦即政府的观点；所谓社会的观点，即租税之社会经济的影响问题。这也可以归并于华格纳的财政原则、国民经济原则与正义原则内去讨论。现在我们就由华格纳之租税原则为基础，分别地加以说明：

一、财政政策的原则

现代租税乃国家为支给一般经费之故，向人民所强制征收的一种费用，租税虽有种种目的，但其重要意义则为谋得国家的财政收入，以支付国家的一般经费，故财政收入的目的在租税原则上无疑地应占第一位，任何租税制度，无论它在理论上如何完美，使其不能达到财政收入的目的，则为画饼充饥，与事无济。因此，财政政策的原则亦有称为“租税目的之原则”者。要使租税能够达到财政收入的目的，它必须具备两个条件：第一应使租税足够来支给国家的经费，第二应使租税有伸缩性，能随经费之膨胀而增加。为了适应这两个条件遂产生充分的原则及弹性的原则。

先以充分的原则来说，一种租税的征课，假如收入无几，根本不足以济国用，它就没有举办的理由，故从政府的现实观点而说，“充分”的原则，其重要性实超过了一切，在工商业尚未发达的农业国家，土地税房屋税以及消费税最能适应“充分”的要求；但在产业高度发展的资本主义国家，则最能满足“充分”之要求者为基于国民之所得而征课的直接税，直接税中尤以所得税与遗产税为重要。不过这里所谓“充分”，不仅是指税收之数量的丰富，而且要求其有持续性，与经常性。

再以“弹性”的原则来说，所谓弹性是指一种租税的收入，在某种限度之内，可以随财政之需要而增减。因为唯有富于伸缩性的税制，当国用紧迫时，始可以应付裕如而不至立呈枯竭。不过这所谓弹性又有两义，一是指自然的弹性，即不假人为的方法而租税能自然增收者，例如因产业发展，国民之所得增加，则所得税自然增收，出入口贸易发达，则关税为之增收。一是指人为的弹性，就是当非常时期可以提高税率的方法来增进收入，例如英美各国当战争时期多以提高所得税率及减低最低生活免税额的办法以增加税收收入。（如英国所得税标准税率，自一九三九年的每镑一先令半，一九四〇年提高至八先令半，一九四五年提高到十先令，所得税免税点，自一九四〇年一二〇镑，一九四一——四五年间降低至一一〇镑）。

二、国民经济的原则

所谓租税之国民经济的原则是指一种租税的征课，不仅要消极地不妨害国民经济的发展，而且还要积极地促进国民经济的发展。这里我们就华格纳所提税源与税种的选择略加批评：

1. 要慎选税源　近代资本主义社会的生产是一种剩余价值的生产，社会人口在大体上可以划分为剩余价值之生产者与剩余价值之取得者，前者构成工资阶级，后者构成资本家阶级与地主阶级。工资阶级的收入为工资，资本家阶级的收入为利润，地主阶级的收入为地租。三个基本阶级的三种收入，皆可作为租税的税源。国家的课税究应以何者为税源，这不是一个抽象的理论问题，而是一个由阶级的力量之对比来决定的事实问题。一般地说，工资的大小是由一社会的自然的及历史的条件来决定的，其中可用作缴纳税源的余裕很少，假使勉强地削弱了它，则劳动力的再生产便将成为问题，因此，我们不能不说只有利润才是正当的税源。不过这也只是一种理论上的规定，事实上，由于资本主义社会有大批产业后备军（即失业人口）的存在，劳动力是很少依据其价格而支付的，不仅是资本家常常把他们的税负转嫁到工人阶级身上，而且劳动阶级事实上也常常负担租税，消费课税之为人民大众所负担固不用说，即连最低生活免税也不过是一种形式上的存在。所以工资之为资本主义社会税源之一是一个事实问题而不是理论问题。

其次，在税源之选择中，一般人所常常提及的还有租税只可课于国民之所得，不应课于国民之资本。换句话说，就是租税应以国民所得为税源，而不应以国民资本为税源。这里充分表现了资产阶级的要求，表现出租税原则论的资产阶级的性质。资本本来是生产剩余价值的手段。资本有两种形式：国家资本与私人资本。国家资本表现为集中于资产阶级国家之手，借以剥削劳动者进行生产剩余价值之生产手段与工资基金，华格纳认为若以国家资本为税源，则国家企业的生产必因此萎缩，这无异于竭泽而渔，故国家资本只可以之作为税本而不可以之为税源。个人资本是否可以作税源呢？站在私人资本家的立场来说，这是不可以的，因为如果以个人资本当做税源，将影响到资本的积蓄过程，使扩大再生产成为不可能，而变为缩小再生产，所以自李嘉图以降的资产阶级学者，都强调着课税之不应该侵蚀资本。但是，在资本主义高度发展的时代，当垄断资本以整个资产阶级代表者的姿态实际上操纵着国家政权的时代，对于这一点的看法就不同。对于非国家资本的个人资本，如国有之公债、股票公司债等等，都成为税源，对于遗产所征收之遗产税，对于各种有价证券所行的课税，都是资本主义各国所早已实行的。华格纳极力提倡这种对于私人资本的课税。因为这样的课税，虽以个人资本为税源，但如果用来扩充国家资本，例如利用个人资本税之收入来设立劳动保险，创设贫民学校，或减轻劳动者所负担的租税（如工资税以及日用必需品之消费税），这样，非但不会妨碍资本主义的存在，并且对于资本主义的发展，亦有利的，因为它可以和缓阶级矛盾，欺骗无产者。

以上所说对资本的课税，不过是转移私人资本为国家资本，对社会总资本无所损益，不过变动总资本在两种形式间的分配罢了。但是当战争或革命发生时，国家为应付非常紧迫的需要，也常常把总资本作税源的，这时整个社会的资本积累，非但表示减退，并且表现与积累相反的过程。不过，最强大的资本单位，往往正在这时表现膨胀。国家的财政政策往往牺牲了许多小资本家，而成全了最大的垄断资本集团，后者在政府中往往以租税为排挤竞争者的工具。

2. 要慎选税种　资产阶级学者认为租税的征收，除慎选税源勿使侵蚀资本外，对于租税的种类，也应审慎选择。例如对于幼稚产业之课税，势将妨碍其发展；又如对于生活必需品课税，势将增加无产阶级的负担，使无产阶级生活恶化，而引致激烈的劳资斗争；对于原料品课税，则加重企业生产成本，削弱商品在国际市场上竞争的能力。资本主义国家，为尽力发展新兴企业，为了在可能范围内避免激烈的劳资斗争，为了扩充其对于国际市场的侵占能力，在财政政策上，对上述各种课税即使不能免税，也将税率减低。然而这种财政政策实现的过程，并非根据于什么预言的原则，倒是决定于资产阶级与无产阶级间，资产阶级各集团间的阶级斗争，原则是斗争出来的结果，而原则的适用，亦看当时各社会集团力量对比而定。在受帝国主义控制的落后国家，财政政策失去其独立性，完全受帝国主义势力所支配，我国抗战以前国民党反动政权的租税制度，关税则成为财政关税而失去保护其国内产业的意义，统税则限制着幼稚的民族工业，而优待外商的在华工业，这都是由于半殖民地半封建性的反映。

三、社会正义的原则

所谓社会正义的原则，就是要使租税之征课为合于社会的“正义”。但究竟什么是社会的“正义”呢？“正义”的基准是什么呢？这实在是可笑的幻想，正义是随着社会发展与社会制度的不同而异其基准的，它本身属于人类伦理的范畴，而租税制度则是一种社会发展的必然，即阶级社会的产物，这与伦理的或道德的要求根本是一种不可调和的矛盾。但资产阶级财政学者却都强调租税之正义的原则，例如马沙尔（Mashall）说："租税分配问题，必须当做积极的伦理问题来理解。"爱贝尔说："实现租税上的正义，是租税政策的问题。"他们都要把租税论带上了一层伦理的说教的色彩，这理由其实也是容易了解的，他们都把租税当成万世不变的人类理想的制度，因而企图把这种制度披上了一件合理的外衣，使之对统治阶级具有更重要的财政收入的意义。另一方面，由于资本主义的矛盾发展到了十九世纪后期已经愈益暴露，赤贫与巨富的对立日益显著，他们为要解决这一矛盾而致其期望于租税制度，即希望租税制度成为调和社会矛盾的工具，即变更财富分配的武器，基于这种立场，他们对于租税提出了社会"正义"的原则，自是当然的事。所以"正义"的原则亦称为"租税分配的原则"，因为它是决定租税的分配关系的。"正义"原则之所以不始创于十八世纪古典学派的亚丹·斯密，而产生于十九世纪末纪之社会政策的大师华格纳，这里我们也可以得到解答了。

如何才能达到社会“正义”的要求呢？据华格纳的意见是：

第一是要普遍（Universality），这里所谓普遍，就是一切人民不问其阶级或身份如何，皆有纳税的义务。也就是说，租税不承认有特权阶级。普遍原则是法国大革命以后的产物。在封建主义的社会，武士僧侣贵族是不负纳税义务的，他们可以凭借其身份而取得免税的特权，这是税负的不普遍，也就是不公平。然而当时社会组织，根本建立于不平等的观念之上，故武士贵族阶级之免税特权，不独视为当然，而且以当时的意识形态来说，这种特权正适合于当时的“公平”观念。自法国大革命以后，人人在法律地位上一律“平等”。“凡为公民，均有纳税的义务”，规定于各国的宪法，租税之普遍原则乃从此建立。租税负担之普遍，又可分为两种：一为租税主体之普遍，一为租税客体之普遍。租税主体即纳税人，从纯粹之对人税言，则税之主体，无论其为自然人或法人，为本国人或外国人，苟在本国统治权力之下，即应负担租税而不容有所逃避，只要有租税主体之存在，即应捕捉税源而征课之。二为租税客体之普遍，租税客体即指课税目的物而言，从对物税而言，则无论课税物件之所有者为自然人或法人，亦不问其为外国人或本国人，惟以租税客体之所在即从而课之，例如外人置产于本国，虽所有人不在，亦可从其物而税之。前者为属人主义，后者为属地主义，各国有采取属人主义者，亦有采取属地主义者，亦有兼采取两者，国际间所以发生重复课税问题，就由此来的。

不过租税的普遍原则亦不是绝对没有例外的。这种例外的免税或基于政治上的原因，或基于经济上的必要。举例来说，各国对于帝王、皇族、外国元首及其外交使节，均有免税的规定。帝王与皇族之免税，这可以说是封建特权之遗留，至对于外国元首及外交使节之免税，则是国际上的一种礼貌。有时各国对于进口原料加以免除关税，以促进某项工业之发达，对于国际竞争剧烈的出口货物免税，以增进其对外竞销的能力，这种种是基于国民经济上的理由。又如国营企业之免税，以节省财政上一收一付划账的麻烦，或对于公债免税，以期公债募集之成功，这是基于财政上的理由。又如各国所得税中均有最低生活费免税之规定，这是基于社会政策的原因，凡此例外，均因特殊之理由，并不得视为违背普遍的原则。

社会“正义”原则之第二个条件便是要“平等”（Equality）。课税平等的原则，亚丹·斯密已列为四大原则之一，惟租税上的平等，决不是说人人都纳同额的租税，即算平等。在私有财产制度之下，贫富悬殊，若富者贫者，皆课同额的租税，则如责小孩与大人同趋，结果适成为极不平等。盐税之所以被目为恶税，即因盐之一物，富者不能多食，贫者不能少食，故税额的平等，并非一种真正的平等。那么究竟怎样才算真平等呢？资产阶级学者一般的意见，多主张各人应按其负税的能力而纳税，这就是所谓能力说（Faculity theory or Ability theory），但各人的纳税能力应如何为之测定呢？这里便发生了纳税能力之标准的问题。

但纳税能力的标准是随着社会经济的发展阶段而不同的，在某一社会经济组织用以测量人民纳税能力的标准，决不能适用于另一社会经济组织。例如我们形容游牧社会一个人的财富，是说他有多少头牛或多少头羊，在农业社会是说他有多少的土地，但在资本主义的社会，我们却决不用牛马或土地来测定一个人的财富，而是说他有多少动产与不动产的所得。所以纳税能力的标准本身，又是一个历史的社会的产物。美国财政学者塞里格曼曾经说："财政的历史，就是能力原则的演变史。"一般地说，在奴隶制度的社会，测定一个人的经济能力，是看他占有奴隶劳动的多少，而在封建社会则是看他占有多少土地。丁赋（或人头税）与田赋之所以分别地占过古代收入的重要地位，这绝不是偶然的。但在资本主义社会测量一个人的经济能力的标准，却既不是他的土地也不是其他的不动产，而是他对于资本利息、土地地租与企业利润的收入，这三者可总名之为"利润"。这是资本家阶级主要的收入。至于劳动阶级公务人员与自由职业者呢？劳动阶级的收入是工资，公务员是薪给，自由职业者是薪给报酬。前者（即资本阶级）可称为不劳利得（Unearned Income），后者可称为勤劳所得（Earned Income），合这两者可总名之曰"所得"。总之，在资本主义社会，不论社会各阶级的各种收入如何复杂，如何千变万化，但总离不开"所得"这一范畴，所得大的负担力强，所得小的负担力弱，故以"所得"为纳税能力的标准，比过去以前的任何标准，都更适合现代资产阶级社会的要求。

四、税务行政的原则

税务行政的原则是指税务行政上所必须遵守的原则，倡自亚丹·斯密，其中包含确实、便利与最少征收费三项，最后一个又可称为经济的原则。

1. 确实的原则。租税之确实原则，为斯密所首倡，就是租税的征课，必须基于法律的规定，这是立宪主义对于课税原则上的应用，亦是英国大宪章与法国大革命以后的产物。确实原则之表现于租税立法之上，即要求我们对于租税主体、租税客体、税率、纳税日期、纳税方法均有明白而确实的规定，使征税者不得上下其手，中饱舞弊。

2. 便利的原则。关于纳税时期或纳税方法，当力求其对于纳税者之方便。第一是应当选择纳税者所视为最便利的时期。在征纳的方法上，对于纳税手续应力求其简易，不可过于繁杂，对于纳税的场所，应力求其接近纳税者之所在地或纳税物件之存在地。

3. 最少征收费的原则。亦称经济的原则，则要以最少的征收费获得最多的租税收入，即征收费用不可过巨，否则一面影响国库的收入，一面增重人民的负担，结果适足为税吏中饱而已。

以上我们把华格纳的租税原则论，加以批判的介绍，这种原则论，在本质上是庸俗化的理论，它的目的无非要把租税的征收美丽化，即一方面使它“合法化”，另一方面使它“道德化”，以隐蔽资产阶级国家租税本质之阶级性与掠夺性。同时也只有使租税“合法化”与“道德化”之后，使人民觉得缴纳租税是“合理的”、“公平的”，这样就可以心悦诚服的为统治权力机关负担费用，使政府的租税收入能有更重要的财政收入的意义。租税原则论的目的即在于此。但就财政技术上，却也未尝不有可以采取之处，所以本书略加介绍，以供读者的参考。

第四章　论租税的转嫁

我们在前面已经说过纳税人与负税人不一定是同一的主体，即法律上规定纳税者的资格，使他负纳税的义务，但在实际上，什么人负担那一部分相当于租税的价值，却是看具体的社会价值关系的运动来决定的。所谓租税的转嫁（Shifting of Tax），即是指纳税人于纳税之后，将其负担移转于他人，转嫁之后，对最终负担者言，谓之归着（Incidence of Taxation）。假令一纳税者，其税负不能移转，租税负担即归着于此最初纳税人。假令其税负能转嫁于他人，且依次递转，以达最后之消费者，此最后之消费者，即负此税之归着。

从来的财政学者都把租税的转嫁分为三种：

一、前转（Forward Shifting），前转是指纳税人以其所纳之税负，向前移转于他人之谓。易言之，即生产者、售卖者或出租者，将其所纳之租税，以提高货物价格、业务报酬或租赁价格的方式，以转嫁于消费者、购买者或租入者。例如卷烟原价每听四角，兹因卷烟税每听征收一角之故，卷烟商将烟价提高至五角，卷烟税即由此而转嫁到消费者身上了。又如地主将田赋之负担以提高地租之方式转嫁于佃农，债权者将资本税之负担以提高利息之方式转嫁于债务者，这都是租税的向前转嫁。普通间接税中之消费税、关税、各项货物税，都发生前转作用的。

二、后转（Backward Shifting），亦称逆转，租税后转为租税回头转嫁于生产原料者，或劳动力供给者之谓。以生产者之逆转言，例如卷烟厂因卷烟税之实行，要求压低烟叶价格，若此举成功，则卷烟税回头转嫁于烟叶生产者。又如购买劳动力之资本家，因纳税之故，乃减低工资，以取偿于工人，前者之情形较少，后者则在我国过去之工厂中最为普遍。

三、散转（Diffused Shifting），散转是指纳税人将其所纳之租税负担，分散转嫁于各方面之谓。例如零售之商人，有时分配其所负税之一部分于消费者，同时逆转其一部分于生产者，或因负担租税之故，减低一部分之工资。此种转嫁亦有称之为复转者。

此外尚有租税之还原（Capitalization of Tax），或称租税之折入资本，为租税后转的一种，即当被税物件出售时，其买主将此后每年所应纳之租税，从所买物之资本价值中预先扣除，故此后之税，虽由买者按期完纳，然其课税之全部，则实为原有人所负担。例如，课于土地建筑物之有永续性之租税，依租税之新课或税率之增加，而使土地之价值减低，此时租税之负担，则落诸原有之地主身上。又如市场之平均投资利率为年息五厘，现在如对于证券课以百分之一的所得税，则购买票面百元之证券，须纳税一元，此时购买者表面之利率虽为五厘，而实际所得则仅有四厘，因百分之一被课税故也。于是购买者仅愿出代价八十元以购买票面额百元之证券，此时每年实得利息虽为四元，而折合利率则仍为五厘，实已将每年纳税一元之资本价值自证券之买价上扣回故也。

租税转嫁有人认为是租税逋逃的一种，不过这是合法的逃避罢了。例如塞里格曼教授把租税逃避分为两种，一为政府无收入之可言者（No revenue to Government）；一为政府仍有收入者，而租税之转嫁，即为后者，而且它是在交易过程中实现的。因为在资本主义的社会，只要纳税者不违反公法上的义务，他可以把租税包括在商品价格之内，因而把租税负担转嫁于他人，这是法律所许可的。事实上，在资本主义的社会，任何租税，都有转嫁的机会。同时，无论什么商品，都有正在转嫁中的租税融解于其自身之内。不过我们不容易看出商品的额面价格中哪一部分是租税罢了。我们要研究它，非回到商品价值论去不可，是故租税转嫁的学说史，亦即价值与价格论史，兹略加以介绍：

重农学派的揆内（Quesney），认为惟有土地有“纯生产”，工商业不过将货物的地位形式改变而已，故凡课于工商业的一切租税，最终结局仍将转嫁于“纯生产”的地租上。但他同时又指出间接税（课于农业劳动者或工业劳动者之工资税及生活必需品税）是不生产的，他以为这会使得财富的每年再生产变为不可能，而妨碍“农业者、地主及政府的发展”。这样看来，可见揆内亦认为除土地税外，仍有不转嫁的租税。古典学派的转嫁学说，较重农主义派为进步，然亦承认一切租税皆出自纯生产的根本思想，而主张一切租税皆出自纯所得，不过他们的所谓“纯所得”，不若重农学派之仅指土地的纯收益而言，故不转嫁的租税，亦不仅限于土地税。亚丹·斯密区别所得为地租、利润与工资三者，而后研究对于此等所得所课的租税。他说地租常不能转嫁，利润（除去利息）税、工资税，则常转嫁于地主或消费者。但各种所得课税之中，人头税与消费税可视为平等之负担者，惟人头税而课及下层阶级时则变为工资税，消费税当课于奢侈品时，归消费者负担，当课于必要品时，则工资必定增加，与工资税之结果相同。李嘉图之理论出发点虽与亚丹·斯密相同，而其结论则稍异，李氏以为惟赋课地租之税，归地主负担，至于其他之土地税皆可转嫁，而利润税及工资税，则皆为资本家阶级负担，故一切的租税，主要负担者，皆为资本家。按亚丹·斯密之说，租税之负担有时归于消费者，然多以地主阶级为主，而李嘉图则以租税之负担，有时归于地主，然多以归于资本家阶级为主，两氏之结论，虽不完全相同，但他们同认为租税包含在商品价格之内，这点却是共通的。他们对于转嫁过程，则视劳动力为一种商品及企业利润的平均化原则为租税转嫁的前提，这不能不说是他们的卓见。

与亚丹·斯密及李嘉图的转嫁说旨趣相同而比他们更反动的则有卡那尔（N. F. Canard）。卡氏以租税之本身原无所谓善恶，惟其破坏均衡，始为罪恶。卡氏之言曰："旧税尽为良税，新税尽为恶税。"因卡氏认为租税经转嫁而分布于各方面，故初为恶税者，终亦变为良税，新税尚未发生散转作用，由一部分人负担，故为恶税。卡氏这种理论是常被许多财政当局利用来辩护税制的固定化及反对租税改革的借口的。

在近代资产阶级财政学者中，对租税转嫁论有特殊之贡献者为美国塞里格曼教授。塞氏著有《租税之转嫁与归着》（*The Shifting and Incidence of Taxation*）一书，其论租税之转嫁，以租税转嫁原理为价值论的一部分，价值依财富的供需而变化，故研究转嫁必须研究转嫁所必要的价格之法则，又当阐明妨碍此法则作用的现象，其论据大致如下：

租税征课后，其始显必增加生产费用。新税实施以后，凡在新税未课以前制成的货物，暂时必获得因新税赋课而致物价涨高的利益，直至旧货销完而止。其所经过的时间是很暂的，但此期间一过，则生产者均立于同等的地位，因课税必使生产费增加，生产者势必提高其物价以补偿之。若提高之不能，则其利润必减少，而货物之出产，亦必为之减缩，在这种情形下，其结果不出两途，或则生产者渐渐移其资本于不课税的工业，或则因资本已固着于某项工业，事实上甚难移转，则凡在课税前仅足维持之生产者势必因而歇业，一面因旧业倒闭，而一面又因新资本为租税所阻而不能流入，于是生产品减少，在上述任何一种情形之下，久而久之，其产额之供给必减少，产额既少，其货品若继续出产，则其价格必提高，价格提高则新税之负担，仍归消费者。

上面这种过程，表面上似甚简单，但其实现到何种程度及租税转嫁于消费者的程度，又因具体的情形而不同。据塞氏说，当应用价值一般定律于租税时，主要的研究有如下述：

1. 课税物件之为耐久的抑易于损坏的?

2. 物品受独占法则所支配，抑受竞争法则所支配?

3. 租税系一般的抑特别的？

4. 资本能完全移动与否？

5. 物品之需要有伸缩性否？

6. 生产上利便之不同影响于供给者若何？

7. 物品的生产费均一的，递增的，抑系递减的？

8. 课税于限界抑课税于剩余？

9. 课税系重税抑轻税？

10. 租税是比例的抑系递进的？

11. 课税品是精制品抑系粗制品？

塞氏分别上列各种情形而加以研究之后，复进而研究农业土地税、城市不动产税、动产税及资本税、利润税、工资税及其他租税之税负归着问题，最后加以结论说，租税乐观说不能成立，立法者决不应以一切旧税势将变为良税为借口，对于税制的改革，充耳不闻，亦不应以一切租税，最后既归于社会全体负担，因而任意开辟新财源。所谓“一切租税归宿于各人”，实为错误之理论。复次，悲观说或不可思议说亦无充分之理由。因为直接税与间接税的区别，虽无多大价值，因为有许多直接税亦有如间接税的转嫁，但一般的趋势可以明白确定的是：1. 课于有收益之财产的不均一税或局部税，既不归社会负担，又不归未来所有者负担，但仅归于课税时之财产所有者负担。无论何时，若征新税于某几种财产，或旧税税率变更，则租税还原作用即行发生，租税决不前转。2. 课于经济的剩余（古典经济学家之所谓纯粹的差别地租与纯利两者）之租税，决不能转嫁，因剩余乃生产的结果，而非生产费之一部。例如遗产税、遗赠税、投机利得税，均不得转嫁。3. 其他一切租税，因其为生产费之一部，故有转嫁之倾向，直到租税最后归剩余负担为止。故可得出如下结论：租税仅可课之于利润或货物，在后一情形下，租税久之必归利润负担，工资税必须视为生产费之一部，而转嫁于利润。然以上所说惟有当资本与劳动能绝对自由移转之时，始能成立，在事实上则由于"经济上之摩擦"，至大受限制。四、世人所谓间接税为最良之税，因其终必转嫁于社会之经济剩余的理论，实属谬误。因间接税之课及经济剩余，仅当其由于个人之生产的消费时，但一切消费非皆为生产的消费也。

塞氏最后以租税归着之理论贡献于立法当局曰：择

几种租税，其结果较能正确估计者而课之，或用转嫁机会极少之租税，或能全部转嫁之租税，前者包括独占税、纯利税、遗产税、某种财产税与所得税，后者包括货物进口税、物产税、营业执照税，及公司总收入税。若立法者意欲租税直接归社会某一阶级负担，则可选择第一类租税；若欲租税不令纳税人感觉负担，则可选择第二类租税。(以上均见塞里格曼:《租税转嫁与归宿》一书第二篇第一章及第八章)

租税转嫁理论之各派学说，已如上所介绍，关于租税转嫁的法则，因租税类型之不同而各异，对于这问题讨论得最详尽的是塞里格曼，但我们不必一定祖述塞氏之说，兹就几种重要税种的转嫁法则，加以阐述:

先从收益课税说起。资本主义社会之所以产生一定的利润，一方面决定于剩余价值的剥削率，另一方面决定于生产品的供求关系，而这两者是由竞争来决定的，并不随生产者之自由意志而增减。于是我们可以说，直接课于企业利益的租税，只要它是一般的，便较少转嫁的可能。但是这并不妨碍这种租税，当比例课税时，因各企业利润大小不同而有差别的累进的影响。因之，如果这种租税只对于某种特定部门或企业而课征时，则这种租税不但不会转嫁，而且因课税之故，立刻会减少该企业部门的利润，于是引起同一部门之激烈的竞争，弱者便会被打倒。这种趋势，到了优胜的企业的利润率腾高到平均的利润率时才会停止，在特种的营业税、营业收益税中，常有这种现象发生。

其次，课于地租、利息、房屋等特种收益税源的租税，这与课于直接分配的利润的情形，多少有些不同。例如课税于地租的场合，地租因谷物的生产在特种经济情形下而产生的，这种课税不会减少企业的利润，亦不会提高谷物的价格，所以地租税完全不能转嫁，反而成为土地的负担而还原于土地价格之上，减少土地的价格。各国的地税，是否仅有地租税的性质或兼有资本利息税的性质，那是另一问题。不过土地课税不利于地主，对于那利用土地的农业资本家的利润，却很少影响，这却是公认的事实。再拿课税货币资本家的场合来说，在这种场合，利率虽然低落，而利润并不直接低落。即租税归宿于货币资本，结果是一般地降低了有价证券的价格。可是这种趋势进展到一定程度，利息率反而提高，马上对于利润起反作用。各国的资本利息税的归着，大致如此。其次，关于房屋课税时，一方面是减少这种房屋出租者的利润，但有一部分是转嫁了，即增加使用该房屋的企业家的房租支出，因而相应地提高了那些企业家的营业费，减少了资本的利润。

这样，关于收益税的转嫁一般的结论便是：它具有归着于地租、利息或利润的性质；至通过商品价格而转嫁于消费者是比较地不容易的。无论他课征于哪一种东西，无论是怎样课征，纳税者总是各个资本家，而其负担必然要在某种意义上变成不公平，结果就会引起企业间之相互的竞争，而使利润的一般收益率为之减低。利润率一低落，一方面便引起商品价格之提高，企图把租税转嫁于消费者，另一方面则努力于追求各种方法来减低生产费。后者一般是以企业及经营的合理化，劳动效率的强度化等等方法来解决，课税结局便变成那些方法的推动力。

其次，我们再来考察消费课税的租税转嫁。消费税是一般视为可以转嫁于消费者负担的，如果商品的价格腾贵相当于转嫁的税额，则所课的消费税全部转嫁到购买者身上了。不过这一转嫁的实现，却依存于下列几个条件:（一）越是生活必需品，转嫁之可能性越大。（二）代用品越缺乏，转嫁性便越强。（三）须是不易于损坏的，不至于因价格稍有变化便不易推销的物品。而具备上列条件的商品，不能不是大众的必需品或便利品，尤其是绝对的生活必需品，这种转嫁愈容易实现。然则某种特定的消费税究有多少转嫁于特定商品的价格之内呢？这就很不容易加以实证了。一般地说，同样的消费课税，相应着从便利品变成必需品的程度而增加其转嫁的可能性，再就转嫁的结果来说，同样的租税，对于小所得者比大所得者的负担，成为累进地加重。

这样，关于消费税的转嫁之一般的结论是：物品税不一定都能够转嫁，现在的所谓物品税，多以该税的全部或其近似的程度，转嫁于消费者，因此被称为消费税，课税的结果是使国民的生活受着现实的、直接的、累进的压迫。在消费税之外，属于流通课税如所谓交通税、印花税之类，亦大体上具有这种性质。至于交易税，是课于被贩卖的商品的，所以很少有后转于生产者的余地，大部分亦都前转于消费者负担的。

不过消费课税的归着，不仅以压迫人民大众的生活而终结，它还要引起许多波浪，使社会的积蓄减少，使大众生活降低，一句话说，每一次有新的消费课税时，社会的个人便要在某种程度上缩小其经济的基础。

第三，对于工资即劳动所得的租税能否转嫁呢？这可以分两种情形来看，种是直接赋课于工资的场合，一种是对于日用必需品课征消费税，因而使生活资料费用腾贵，促进实质工资减少的场合。这两者可以说是同一问题的表里两面，因为工资差不多总等于劳动者的生活资料费用。就理论上说，工资为劳动力的价值，劳动力的价值又等于工人生活必需费用，故设商品化的劳动力能贯彻其与价值相适应的价格，则劳动所得的课税将引起劳动力价格的腾贵，因而能转嫁于生活费内，其结果将影响于利润，与利润税相同。但事实上往往因为有大批劳动后备军的存在，劳动者的工资常不能依其价值以出售，故对于劳动阶级的课税，不问其为直接之工资税或间接的生活必需品课税，均不容易立刻转嫁，而适成为工人阶级生活上的重大压迫。这种压迫一方面成为劳动阶级生活穷困化之原因，另一方面由于生活过度贫穷化的结果，又引起劳工阶级的反抗，因而发生劳动阶级与资产阶级在财政立法上及经济上的斗争。当劳动阶级在斗争中占优势时，对于劳动所得所课之工资税，则转嫁于资本家而变成利润税。

最后，直接课于所得的租税能不能转嫁呢？卡茨尔说："对于所得的均一租税，才是唯一不能转嫁的租税。"（Kaizl：*Die Lehre von der Uberwalzung der Steuern*）德国社会民主党一九一三年的政纲上说："剩余价值，可以凭借对于所得及财产的租税来直接把握。"这如前所述，对于利润的租税是很难转嫁的，而且所谓所得是归于个人的纯利润，就这一点来看，这诚然是正确的结论。但如进一步去分析，这里还留着许多可以研究的问题，因为做一般所得税标准的所得的因素，是房租、利润、利息、地租等等，它们都是剩余价值，所以课于它们的租税即使不转嫁，但是它们相互之间却有排他性，因而由此生出竞争上的优劣，经过这种竞争上的优劣，与这种由竞争上的优劣而生的波纹，不能不有多少的租税转嫁在内。又因为在另一方面，所得是被支出于储蓄、奢侈、生活等等目的上的，这种支出当然要因课税而减少，所以这究竟是哪一种消费减少，投资变化到什么程度，这是很难简单加以推论的。不过有一件事是很明白的，即所有这种所得税的转嫁，是很间接而不易于捉摸的。

关于所得课税，我们还可以补充如下：即大所得具有伸缩性，所以它比中小所得多有转嫁的可能性，小所得根据劳动转嫁的原理，也易于转嫁，只有中等所得，很少有转嫁的可能。此外，如财产增值税、土地增值税、财产转移登记税及遗产税之类，转嫁是比较困难的。

所有上面的说明：我们都是以各种产业部门，各企业间行着自由竞争的条件下为前提的，但是当自由竞争的性质变化，在许多产业部门已经实行独占的资本主义社会，上述的法则，在适用上自然亦不得不变质。因为在独占经济支配下，价格构成是根据独占而不是根据自由竞争原理的，同时所谓利润亦具有独占利润的性质，在它的生产条件上独占法则支配着，所以对于这些方面租税的归宿，亦不能不适应独占原理。详细地说，在独占的场合，生产品的价格，在借关税补助金及其他政治方法保护之下由加特尔来规定，它对于国内购买力，通常被提高到最大的限度。课于这种独占的商品或生产这种商品的企业上的租税，不管其课于其中哪一部分，用什么方法来课征，都必然会马上侵蚀到这独占的利润。可是这种企业，常因为其固定资本的巨大，所以即使发生这种事实，亦不容易把它的资本转移到别的事业，借以避免利润率的低落，于是这种不能转嫁的租税，必然还原成为那独占资本的负担，减少巨大的全资本的价格。换句话说，对于独占资本的课税，不问其形态如何，都是与它的收益发生正面的冲突，所以这些独占资本，为克服这种不可抗的困难起见，更不能不向独占资本的道路迈进，所谓独占资本的道路，即是用垂直的企业联合、水平的企业合并、贩卖协定、市场的统制等更合理化更加特尔化的方法使生产费更加降低，以人工的方法维持贩卖价格。这些都变成那种把租税转嫁于消费者与劳动者的努力的途径。可是我们已经知道，流通税与消费税，都是使该生产物的生产者必然去努力于独占的形式的，而其结果，是减低那种非独占事业的利润。现在我们又知道，对于独占的课税，是独占事业之致命的打击。于是我们可以推论，在这种场合，许多租税会集中而成为独占利润的重负。所以其结果就变成：独占者一定尽其死力把这种打击转嫁于其他的消费者，这就成为少数独占的生产者与多数消费者对于租税逋逃的斗争。

租税的转嫁，因为租税制度与税源之交错而起的复杂问题，是牵一发而动全身，一波动而万波随之，随着这种波动的远布而溶解于经济的一般法则之内，所以由于经济社会的结构不同，同一的租税有时转嫁，有时则不转嫁的。普通我们总是以能否转嫁为标准而把租税分为直接税与间接税，就是说纳税人与负税人为同一人时是直接税，不然的便是间接税。但由我们上面所分析，便知道这种区别是相对的而不是绝对的，直接税亦有转嫁的，间接税亦有不转嫁的。考茨基曾经说："使劳动阶级负财政上的负担，使租税不从剩余价值而从工资中扣除。用这样的手段，便是间接税制度"，这倒是较之一般对直接税与间接税之划分更为本质的说法。

三联经典文库第二辑简目

《游击战教程》　明凡 / 著

《游击战术纲要》　陶剑青 / 编著

《汪精卫卖国的理论与实践》　钱俊瑞 / 著

《抗战以来》　韬奋 / 著

《陕行纪实》　楚云 / 著

《随军散记》　沙汀 / 著

《被日寇囚系半载记》　王研石 / 著

《倭营历险记》　房沧浪等 / 著

《活跃的新西北》　田影 / 编著

《保卫华北的游击战》　刘清扬　陈北鸥等 / 著

《徐州突围》　《徐州突围》编委会 / 编

《沦亡的平津》　长江　小方等 / 著

《淞沪火线上》　胡兰畦等 / 著

《瞻回东战场》　长江　罗平等 / 著

《东线的撤退》　胡兰畦等 / 著

《抗战中的西北》　徐盈 / 著

《鲁闽风云》　徐盈等 / 著

《西线生活》　西北战地服务团集体创作

《中国解放区见闻》　［美］福尔曼著 / 朱进译

《全面抗战论》　潘汉年 / 著

《日本的间谍》　范士白自述 / 尊闻译

《日本大陆政策的真面目》　国难资料编辑社 / 编

《民众动员论》　李公朴 / 著

《中国外交史》　钱亦石 / 编著

《太平洋军事地理》　蒋震华 / 著

《世界经济地理讲话》　思慕 / 著

《列强军力论》　［德］马克斯·威纳尔著 / 宾符　仲持　梅益等译

《近代国际关系史》　张铁生 / 著

《太平洋现势手册》　沈志远　石啸冲 / 编著

《近代世界政治史》　钱亦石 / 著

《从战争到和平——一九四五年的世界政治》　乔木 / 著

《战后日本问题》　思慕 / 著

《最近一年间的国际动态（1946.7–1947.6）》　《东北日报》社 / 编

《论政党》　翟放 / 著

《法与宪法》　韩幽桐 / 编著

《中华民国宪法刍议》　罗家衡 / 著

《民主·宪法·人权——作之民》　费孝通 / 著

《宪法论初步》　潘念之 / 著

《对反民主的抗争》　韬奋 / 著

《农村改进的理论与实际》　江恒源 / 著

《上海产业与上海职工》（上下）　　朱邦兴　胡林阁　徐声 / 合编

《陶行知教育论文选辑》　陶行知著 / 方与严编

《中国通货膨胀论》　杨培新 / 著

《中国及其未完成的革命》　H·普拉特著 / 蒋天佐译

《中国的建设问题与人的训练》　卢作孚 / 著

《论中国特殊性及其他》　艾思奇 / 著

《中国经济问题讲话》　钱俊瑞　徐雪寒　王渔邨　姜君辰　骆耕漠 / 合著

《中国经济的道路》　许涤新 / 著

《中国财政之病态及其批判》　孙怀仁 / 著

《官僚资本论》　许涤新 / 著

《五四运动之史的评价》　陈端志 / 著

《中国通史简编》（上下）　中国历史研究会　范文澜 / 主编

《论文学的工农兵方向——读〈在延安文艺座谈会上的讲话〉》　雪苇 / 著

《中国近代史（上编　第一分册）》　武波 / 编著

《文学百题》　傅东华 / 编

《中国史学之进化》　周谷城 / 著

《论民族形式问题》　胡风 / 著

《论批评》　荃麟等 / 著

《中国史纲》（第一卷上下、第二卷上下）　翦伯赞 / 著

《近代中国思想学说史》（1–4）　侯外庐 / 著

《中国政治思想史》（上下）　吕振羽 / 著

《中国哲学史纲要》　向林冰 / 著

《中国政治史讲话》　钱亦石 / 著

《中国社会经济史纲》　王渔邨 / 著

《新财政学大纲》　千家驹 / 著

《太平天国革命运动论文集——金田起义百周年纪念》

华北大学历史研究室 / 编

《理性与自由——文化思想批评论文集》　胡绳 / 著

《战斗者的诗人》　黄药眠 / 著

《国语文法》　曹朴 / 著

《教育哲学》　张栗原 / 著

《妇女问题讲话》　杜君慧 / 著

《婚姻 · 子女 · 继承》　沙千里 / 著

《性教育新论》　布士克　雅各生合著 / 董秋斯译

《狱中杂感》　杜重远 / 著

《七人之狱》　沙千里 / 著

《爱迪生传》　伍况甫 / 译

《歌德自传》（上下）　歌德著 / 思慕译

《尼赫鲁自传》　[印度] 尼赫鲁著 / 毕来译

《列宁传》　[苏] 凯尔任采夫著 / 企程　朔望译

《罗斯福总统传》　C. Mackenzie 著 / 张尚之译

《托尔斯泰传》（1-3）　[英] 阿尔麦 · 莫德著 / 徐迟译

《革命文豪高尔基》　［美］亚历山大·康恩著／韬奋编译

《鲁迅纪念特辑》　新中国文艺社／编

《回忆鲁迅先生》　萧红／著

《人民文豪鲁迅》　平心／著

《亡友鲁迅印象记》　许寿裳／著

《鲁迅思想研究》　何干之／著

《鲁迅研究》　夏征农／编

《过来的时代：鲁迅论及其他》　雪峰／著

《电影戏剧表演术》　洪深／著

《日常心理漫谈》　［美］约瑟夫·查斯特罗著／曾宝施译

《心理常识漫话》　朱智贤　杨云美／著

《读书的方法与经验》　王任叔／著

《美国黑人生活纪实》　［美］加德维尔　斯坦倍克著／董秋斯译

《初访美国》　费孝通／著

《事业与成功》　［美］马尔腾著／汪原放译

《萍踪寄语（初集）》　韬奋／著

《一生的幸福前途——〈生活周刊〉信箱选集》　生活书店／编选

《深刻的印象》　生活周刊社／编

《海外的感受》　生活书店编译所／编